Hazel L

falloir = n...   ...hou)

devoir =   "   (nothing
                              self)

CURRENT FRENCH GRAMMAR IN REVIEW

With Everyday Idiom Drill and Conversational Practice

ARTHUR GIBBON BOVÉE

Officier d'Académie
Chevalier de la Légion d'honneur

DAVID HOBART CARNAHAN

D. C. HEATH AND COMPANY BOSTON

A

mon ancien élève

Richard Dana Hall

dont l'amitié et le dévouement ont été

un précieux soutien pendant

la préparation de cet ouvrage

A. G. B.

Preface ～⌒～

Change is a law of life. Languages and their pedagogy do not escape. When, over three decades ago, the late Professor Carnahan launched his Review Grammar, the study of the various uses of the article was in the vanguard of his systematic presentation of the essential facts of French grammar. The outstanding success of this pattern led others to adopt it. In fact, it became the accepted order.

Today, however, as scientific achievements have shrunk the world so that former faraway lands are only a few hours distant, languages have, perforce, come to be considered more from a functional and utilitarian point of view. The student needs and wants to know how to use the language. Obviously the prime requisite for meeting this need is the verb, which is, so to speak, the motor of the sentence. No sentence can be constructed without a verb.

On this principle of functional need is based our decision to break with the original plan of presentation. Not only is the study of the verb introduced at once — the first six units are devoted to a carefully organized and sequential study of the verb — but the order of presentation of the other aspects of the grammar has also been determined by the principle of frequency of use.

To meet this new point of view in the pedagogy of modern foreign languages, to respond to the insistent demands of teachers throughout the country for fresh models and more diversified exercises, to offer up-to-date civilization material, and, finally, to present the grammar in current use in France (how could the grammar remain static if the language changes?) — these are the reasons for the preparation of this new edition.

GRAMMAR

It was stated at the outset that languages undergo constant changes. Then of necessity must usage change. In this text every possible effort has been exerted to present principles of French grammar which reflect current use by educated Frenchmen. If we find, for example, in the *Nouveau Petit Larousse*, 1951 edition, on page 1171 *en Amérique du Nord*, and again on page 1468 *en Afrique du Nord*, then we are forced to conclude that former rules regarding modified names of countries are no longer current.

To substantiate the usage expounded herein, there has been placed at the end of this Preface a selected bibliography.

ORGANIZATION OF MATERIAL

Though the grammar sequence has been changed, the general plan of the preceding editions, a plan which has proven so successful, has been retained. There are still sixteen units. Each unit consists of the following elements: a grammar summary, irregular verbs, selected idioms, a French model, and drill material. However, the arrangement has been changed slightly. In order that the student may at once encounter, in actual use, examples of the principles of grammar which he is to review, it was deemed wise to present the French model at the beginning of each unit. To promote better assimilation, the French models have been shortened. Drill on the usage contained in these models will help the student to grasp the principles explained in the grammar sections. This work acts as a curtain raiser, so to speak. Then the idioms are placed after the models for ready reference.

Some teachers found excessive the number of idioms presented in the preceding edition. To meet this criticism the average number of idioms per unit has been reduced by more than one half. This should also lighten appreciably the student's load. The introduction of two or three irregular verbs in each unit follows closely the previous plan. The choice was dictated by the letters as they told the story. It is not surprising that the irregular verbs presented for study in the early units should be of the highest frequency according to the Vander Beke French Word List since they were used in normal French discourse.

As for the exercises, a very definite effort has been made to offer a richer variety. In this connection, special attention has been given to diversified drills on the forms and use of the irregular verbs. From the foregoing, it is obvious that the general plan has been maintained with a few modifications, made in the light of experience. These modifications not only re-enforce the plan but will make the book more effective.

THE STORY OF THE BOOK

Whereas the preceding edition was prepared according to a preconceived plan, the present one grew naturally out of a series of unforeseen events. A mission consisting of five French agricultural experts did actually visit the University of Georgia. It was only after the reception of two letters written by these French officials that it dawned on us that we had in hand the material for a rewriting of our Review Grammar. Furthermore, by the happiest of coincidences, these letters contained precisely the grammar sequence which experience had demonstrated to be the right one. From this point on, the story developed naturally and logically, offering us an opportunity to present up-to-date and instructive civilization material which we hope will prove interesting and stimulating to the student.

Thus it came about that this text is not merely another edition with a new binding. Strictly from the point of view of material and presentation, it is almost an entirely new book, telling a new story but still faithful to our motto: "The study of French and of France must go hand in hand."

ACKNOWLEDGMENTS

We embrace this opportunity to express our deep gratitude to the various persons who have so generously helped in the preparation of *Lettres de Paris*. M. Pohl and M. Coquery graciously granted permission to use their letters. Jacques François Mérie, an exchange student who played perfectly his role as an informal French ambassador, was unstinting of his time and was always available for consultation on questions of usage and civilization. We are indebted to M. Claude Lévy of Marseilles for the material on the "*Tour de France*." Mme Nicole Rousseau Heidler rendered invaluable service not only by a critical review of the manuscript but also by collaborating in the correction of both galley and page proof. We render hearty thanks to the Modern Language Department of D. C. Heath and Company for their cooperation on this project. And we would be indeed remiss did we not express our sincere thanks to our friends Professor and Mrs. Jules C. Alciatore, whose interest, loyalty, and excellent pedagogical sense were of real value. Finally, the encouragement and friendship of the various members of the Department of Modern Languages at the University of Georgia were a constant source of strength during the years spent in the preparation of this volume.

SELECTED BIBLIOGRAPHY

O. Bloch et R. Georgin. *Grammaire française*. Paris: Librairie Hachette, 1937.

Ferdinand Brunot. *La Pensée et la langue*. Paris: Masson & Cie, 1922.

France-Illustration — Monde Illustré. Publication hebdomadaire, Paris.

Grammaire Larousse du XXᵉ Siècle. Paris: Librairie Larousse, 1936.

Maurice Grevisse. *Le Bon Usage. Cours de grammaire française et de langage français*. Quatrième Édition. Paris: Librairie Orientaliste. Paul Geuthner, 1949.

Adolphe Hatzfeld, Arsène Darmesteter et Antoine Thomas. *Dictionnaire Général de la langue française*. Sixième Édition. Paris: Delagrave, 1920. 2 vol.

Nouveau Petit Larousse Illustré. Paris: Librairie Larousse, 1951.

René Radouant. *Grammaire française*. Paris: Librairie Hachette, 1922.

Henri Sensine. *L'Emploi des temps en français*. Paris: Librairie Payot, 1926.

Contents

I *On annonce l'arrivée d'une mission agricole française*   *3*

     Infinitive, 6
     Present Indicative, 7
     Imperative, 8
     Future Indicative, 9
     DAILY VERBS: *avoir, être,* 10

II *Lettre de remerciements*   *13*

     Past Participle, 16
     Present Perfect Indicative, 17
     Agreement of the Past Participle, 18
     Present Participle, 19
     DAILY VERBS: *venir, savoir,* 20

III *Robert Martin sera le bienvenu*   *24*

     Present Tense with *depuis* or $\left. \begin{array}{c} \textit{il y a} \\ \textit{voilà} \end{array} \right\}$ ... *que,* 27
     Present Conditional, 28
     Gerund, 29
     DAILY VERBS: *faire, vouloir,* 29

IV *La Traversée et l'Arrivée à Paris*   *33*

     Imperfect Indicative, 36
     Imperfect Tense with *depuis* or $\left. \begin{array}{c} \textit{il y avait} \\ \textit{voilà} \end{array} \right\}$ ... *que,* 37
     Pluperfect Indicative, 37
     Perfect Conditional, 37
     Summary of Conditions, 38
     DAILY VERBS: *aller, dire, croire,* 39
     Special Group with *avoir,* 39

V *Le Dîner chez M. Coquery*   *43*

     Subjunctive, 47
     Reflexive Verbs, 51
     Agreement of the Past Participle — Summary, 52
     DAILY VERBS: *pouvoir, falloir, devoir,* 52

VI *Notre-Dame de Lourdes*   *57*

    Past Definite, 61
    Present Perfect Subjunctive, 62
    Imperfect Subjunctive, 63
    Subjunctive in Adjectival Clauses, 63
    Subjunctive in Adverbial Clauses, 64
    Subjunctive — Sequence of Tenses, 65
    Subjunctive in Principal Clauses, 66
    DAILY VERBS: *envoyer, prendre, dormir,* 67

VII *La Cité Universitaire*   *71*

    Agreement of Adjectives, 74
    Position of Adjectives, 75
    Irregular Adjectives, 76
    Demonstrative Adjectives, 77
    Possessive Adjectives, 78
    DAILY VERBS: *écrire, mettre,* 79

VIII *Le Quartier Latin*   *82*

    Relative Pronouns, 86
    Indefinite Adjectives and Pronouns, 87
    DAILY VERBS: *voir, lire, recevoir,* 88

IX *Chez Marianne*   *93*

    Personal Pronouns, 97
    Negation, 99
    DAILY VERBS: *boire, connaître, plaire,* 100

X *Le Tour de France*   *103*

    Stressed Personal Pronouns, 108
    Adjectives, Adverbs — Comparison, 109
    DAILY VERBS: *courir, naître, battre,* 110

XI *Le Maréchal Foch*   *114*

    Interrogative Adjectives, 119
    Interrogative Pronouns, 119
    Interrogative Word Order, 121
    DAILY VERBS: *conduire, suivre, mourir, valoir,* 122

XII *Au Café de la Paix* 126

The Articles, 130
Prepositions with Names of Cities, Islands, Countries, etc., 132
DAILY VERBS: *craindre, cueillir, fuir, ouvrir*, 133

XIII *Une Soirée à la française* 137

Omission of the Definite and Indefinite Articles, 141
Omission of the Indefinite Article, 142
Faire + infinitive (causative), 143
DAILY VERBS: *asseoir, vivre, suffire, vaincre*, 143

XIV *L'Opéra et l'Opéra-Comique* 147

Partitive Construction, 151
Days, Months, Seasons, 153
DAILY VERBS: *pleuvoir, résoudre*, 154

XV *A La Comédie-Française (Au Théâtre-Français)* 157

Demonstrative Pronouns, 161
Ce or *Il (Elle*, etc.) + *être*, 162
Plurals of Nouns and Adjectives, 164
DAILY VERBS: *acquérir, conclure*, 165

XVI *Cyrano de Bergerac* 169

Possessive Pronouns, 174
Special Time Relationships Idiomatically Expressed, 175
DAILY VERBS: *haïr, rire, croître*, 175

Appendix I 179
  Verbs
Appendix II 186
  Numbers. Dates. Time. Money. Measures
Appendix III 189
  Gender of Nouns
Vocabulary 191
  French–English, 191
  English–French, 212
Index 225

Illustrations

Plan de Paris   4

Canal de Thiou, Annecy   14

Les Vendanges en Bourgogne   25

La Gare Saint-Lazare, Paris   34

Les Bouquinistes des quais de la Seine   44

Notre-Dame de Lourdes   58

Une fête dans les Basses-Pyrénées   58

La Cité Universitaire, Paris   72

Le Jardin du Luxembourg   83

Montmartre, Paris: La Place du Tertre. Le Moulin Rouge   94

La Bourboule, Auvergne   104

La Tour Eiffel et le Champ-de-Mars   115

La Place de l'Opéra   127

La Cour de Rohan   138

Le Grand Escalier de l'Opéra   148

La Comédie-Française   158

Cyrano de Bergerac   170

Lettres de Paris

CURRENT FRENCH GRAMMAR IN REVIEW

U N I T I ⌒〜⌒

1 . Infinitive

2 . Present Indicative

3 . Imperative

4 . Future Indicative

DAILY VERBS:

avoir, être

On annonce l'arrivée d'une mission agricole française

New-York, le 22 février

M. Arthur Gibbon Bovée
The University of Georgia
Department of Modern Foreign Languages
Athens, Georgia   5

Cher Monsieur le Professeur,

Je me permets de vous informer qu'à la demande de l'Economic
Cooperation Administration, 800 Connecticut Avenue, N.W., Washington, D.C., je compte accompagner dans peu de jours à Athens,
Georgie, un groupe de quatre experts agricoles français particulière- 10
ment distingués, afin d'étudier en Georgie le fonctionnement de
divers services du Ministère Américain de l'Agriculture et les méthodes
américaines d'enseignement agricole.

Mes compagnons seront extrêmement heureux de faire votre connaissance et d'échanger des idées susceptibles de présenter un intérêt 15
commun dans le domaine culturel. Durant notre séjour à Athens,
nous passerons évidemment la plus grande partie de notre temps à
l'Université de Georgie.

A cette occasion, j'imagine, non sans une certaine présomption
dont vous voudrez bien m'excuser, que les étudiants américains 20

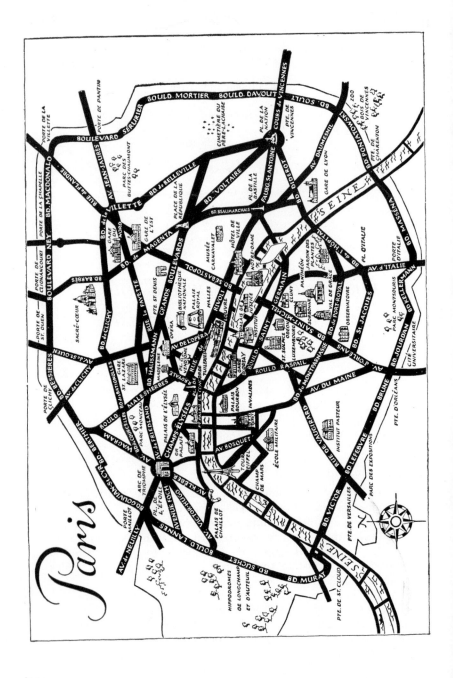

assidus à vos cours de français à l'Université auront plaisir à entrer en contact avec ces quatre experts. J'en déduis que vous tiendrez à organiser une ou plusieurs réunions à la faveur desquelles les étudiants américains auront l'occasion de rencontrer ces messieurs de France. J'en déduis aussi que vous considérerez, à la fois comme 5 un plaisir et comme un devoir, de recevoir le groupe français avec toutes les marques de bienveillance dont je vous sais coutumier.

Je me réjouis, à l'avance, de vous rencontrer à Athens avec les personnalités distinguées de France que je me permettrai de vous présenter. 10

Veuillez me rappeler au bon souvenir de mon ami le professeur Alciatore. Dites-lui, je vous prie, que j'espère avoir le plaisir de le voir lorsque nous passerons à Athens.

Avec mes remerciements anticipés, je vous adresse, cher Monsieur le Professeur, l'assurance de mes sentiments les meilleurs. 15

Lucien L. Pohl

Membre de la Mission Française des
Céréales aux États-Unis

Membre Correspondant du Muséum
National d'Histoire Naturelle de Paris

CHOIX D'EXPRESSIONS

à la fois	both, at the same time
à l'avance	in advance
avoir l'occasion de + *inf.*	to have an opportunity to
avoir plaisir à + *inf.*	to take pleasure in, be pleased to
faire la connaissance (de)	to make the acquaintance (of)
se permettre de + *inf.*	to take the liberty of
veuillez me rappeler au bon souvenir de	please remember me kindly to
tenir à + *inf.*	to be eager (anxious) to, want very much to
vouloir bien + *inf.*	to be good enough (to)

CHOIX D'EXERCICES I

I. Composition orale. En s'inspirant du texte, l'étudiant se préparera à dire quelques mots sur chacun des sujets suivants:

1. Le but de la lettre de M. Pohl.
2. La composition de la mission agricole.
3. Le but de la mission.

4. Le séjour de la mission à Athens.

5. Le contact des étudiants avec les quatre experts.

6. Les avantages de la visite: (*a*) pour les étudiants; (*b*) pour les visiteurs.

II. Se préparer à traduire en anglais les phrases suivantes:
1. Je me permets de vous informer que . . . 2. Ils seront heureux de faire votre connaissance. 3. Voulez-vous bien m'excuser? 4. Les étudiants américains auront plaisir à entrer en contact avec ces quatre experts. 5. Vous tiendrez à organiser plusieurs réunions. 6. Les étudiants auront l'occasion de rencontrer ces messieurs de France. 7. Vous le considérerez à la fois comme un plaisir et comme un devoir. 8. Je me réjouis à l'avance . . . 9. Veuillez me rappeler au bon souvenir de mon ami le professeur Alciatore. 10. Dites-lui, je vous prie, que j'espère avoir le plaisir de le voir lorsque nous passerons à Athens.

MISE AU POINT GRAMMATICALE

1. Infinitive

FIRST CONJ.   **parler** (*to speak*)
SECOND CONJ.   **finir** (*to finish*)
THIRD CONJ.   **répondre** (*to reply*)

A. Explanation

1. This form of the verb is limited neither by person, nor by number, nor by time, hence its name: *l'infinitif* (*non fini*).

2. The infinitive is really a verbal noun and as such can fulfill all the functions of a noun.

3. The infinitive has two tenses:

> PRESENT   chanter (*to sing*); revenir (*to come back*); s'amuser (*to have a good time*)
>
> PAST   avoir chanté (*to have sung*); être revenu(e)(s) (*to have come back*); s'être amusé(e)(s) (*to have had a good time*)

B. Use

1. As the subject of a verb:

Mentir est honteux.	Lying is shameful.

2. As the direct object of a verb:

Je compte **accompagner** un groupe d'experts.	I expect to accompany a group of experts.
J'entends **frapper.**	I hear someone knocking.

The following are some of the most common verbs which take the infinitive as a direct object. (There is no intervening preposition.)

aimer (*in conversation*), aimer mieux, aller, avoir beau, compter, croire, désirer, devoir, écouter, entendre, envoyer, espérer, faillir, faire, falloir, laisser, oser, penser,[1] pouvoir, préférer, regarder, savoir, sembler, valoir mieux, venir, voir, vouloir

3. As the direct object of a preposition:

Vous tiendrez à **organiser** plusieurs réunions.	You will be eager to arrange several meetings.
Je me permets de vous **informer.**	I take the liberty of advising you.

Note. The prepositions **à, de, pour, sans, après, par** require the infinitive as an object. **En** is the only preposition not followed by the infinitive. **Après** requires the past infinitive.

après avoir fini après être arrivé

The following are some of the most common verbs which take **de** before a following infinitive:

s'agir, cesser, conseiller, craindre, décider,[1] défendre, demander, se dépêcher, dire, écrire, empêcher, essayer, faire bien, finir, manquer, négliger, offrir, oublier, permettre, prier, promettre, proposer, refuser, regretter, tâcher, téléphoner, venir (*have just*)

The following are some of the common verbs and expressions which take **à** before a following infinitive:

aider, aimer (*in literature*), s'amuser, apprendre, arriver, avoir, avoir (de la) peine, chercher, commencer, consentir, continuer,[2] décider (*induce*), se décider, hésiter, inviter, se mettre, parvenir, passer du temps, penser (*think about*), avoir plaisir, se préparer, renoncer, réussir, songer, tarder, tenir, venir (*happen*)

SUMMARY: There are three principal uses of the infinitive[3]:

(1) As the subject of a verb.
(2) As the direct object of a verb.
(3) As the object of a preposition.

2. Present Indicative

A. Formation

FIRST CONJ.	parler:	**parl–e, –es, –e, –ons, –ez, –ent**
SECOND CONJ.	finir:	**fin–is, –is, –it, –issons, –issez, –issent**
THIRD CONJ.	répondre:	**répond–s, –s, —,[4] –ons, –ez, –ent**

[1] See verbs that take **à.** [2] Often **de** instead of **à.** [3] The infinitive may also be used with imperative force. Note the directions for many of the exercises. [4] This form ends in **-t** in **rompre** and its compounds (page 179).

Note. The present tense (*le présent*) is regularly formed by removing the **–er, –ir, –re** of the infinitive and adding the appropriate present endings.

SPECIAL GROUP   partir (*to depart*): **pars, pars, part, partons, partez, partent**

(Like **partir:** sortir (*to go out*), dormir (*to sleep*), servir (*to serve*), sentir (*to feel*), mentir (*to lie*)

B. Use

1. The present tense not only asserts that an action is taking place at the time when one is speaking, but insists that the action is not yet completed:

Nous étudions le verbe français.   We are studying the French verb.

2. The present tense expresses an action that is general and habitual:

Quand je suis fatigué, je me repose.   Whenever I am tired, I rest.
L'homme propose, Dieu dispose.   Man proposes, God disposes.

3. Imperative

A. Formation

1. Regular:

FIRST CONJ.	parler:	**parle, parlons, parlez**
SECOND CONJ.	finir:	**finis, finissons, finissez**
THIRD CONJ.	répondre:	**réponds, répondons, répondez**
SPECIAL GROUP	partir:	**pars, partons, partez**

Note. The imperative (*l'impératif*) is regularly formed by using the same forms as the second person singular and first and second persons plural of the present indicative with one slight modification, i.e., the **s** is dropped from the second person singular of the first conjugation except before **y** and **en.** The imperative requires no subject pronoun.

2. Irregular:

avoir:	**aie, ayons, ayez**
être:	**sois, soyons, soyez**
savoir:	**sache, sachons, sachez**
vouloir:	**veuille, veuillons, veuillez**

Note. The imperative forms of these four verbs are almost identical with those of their present subjunctive.

B. Use

The imperative is used to express a direct order or command.

4. Future Indicative

A. Formation

FIRST CONJ.	**parler**	
SECOND CONJ.	**finir**	**–ai, –as, –a, –ons, –ez, –ont**
THIRD CONJ.	**répondre**	

Note. The future tense (*le futur*) is regularly formed by adding to the infinitive the forms of the present tense of the verb **avoir,** except that **avons** and **avez** lose the weak syllable **av.** In the third conjugation the final **e** of the infinitive is lost when the ending is added.

B. Use

1. To express the idea that the action will occur at some future time:

Nous lui **parlerons** de cela demain.	We shall speak to him about it tomorrow.

2. In a subordinate clause introduced by **quand, lorsque, aussitôt que, dès que, tant que,** or **comme** when futurity is implied by the main verb. In this case the French use the future where we use the present.

Lorsque Noël **viendra,** nous recevrons tous des cadeaux.	When Christmas *comes* we shall all receive gifts.
Vous ferez comme il vous **plaira.**	You will do as you *please.*

3. In the conclusion of a supposition introduced by **si** (*if*) followed by the present tense:

S'il fait mauvais, je **resterai** chez moi.	If the weather is bad, I'll stay home.

4. To indicate probability or conjecture:

Jacques ne vient pas au rendez-vous. Son père **sera** malade.	James is not keeping the appointment. His father must be ill.

C. Special cases

1. Near future:

Je **vais** partir tout à l'heure.	I am going to leave soon.

Note. Near future time is expressed by the present of **aller** plus the infinitive.

2. Probable future:

Il **doit** venir ce soir.   He is to come this evening.

Note. Probable future time is expressed by the present of **devoir** plus the infinitive.

DAILY VERBS

avoir	ayant	eu	**ai**	eus
(*have*)				
aurai	avais	avoir eu		eusse
aurais	PRES. IND.	ai, as, a, avons, avez, ont		
	PRES. SUBJ.	aie, aies, ait, ayons, ayez, aient		
	IMPER.	aie, ayons, ayez		
être	étant	été	suis	fus
(*be*)				
serai	étais	avoir été		fusse
serais	PRES. IND.	suis, es, est, sommes, êtes, sont		
	PRES. SUBJ.	sois, sois, soit, soyons, soyez, soient		
	IMPER.	sois, soyons, soyez		

CHOIX D'EXERCICES II

Exercices sur les verbes *avoir* et *être*

I. Remplacer l'infinitif en italique par la forme convenable du verbe[1] et traduire la phrase en anglais

(*a*) au présent:

1. Je *avoir* une lettre à écrire. 2. Tu *avoir* une leçon à préparer. 3. Ils *avoir* une visite à faire. 4. Je *être* fatigué. 5. Elle *être* belle. 6. Nous *être* américains. 7. *Être*-vous content de la classe? 8. Ils ne *être* pas encore là.

(*b*) à l'imparfait:

1. Je *avoir* faim. 2. Nous *avoir* peur. 3. Je *être* chez moi. 4. Ils *être* tout seuls.

(*c*) au passé composé:

1. Je *avoir* sommeil. 2. *Avoir*-vous mal à la tête? 3. Elle *être* malade. 4. Ils *être* punis.

(*d*) au futur:

1. Je *avoir* plaisir à vous voir. 2. *Avoir*-vous peur d'y aller? 3. Je *être* enchanté de vous voir. 4. Ils *être* désolés de vous savoir souffrant.

(*e*) à l'impératif:

1. *Être* bon pour les animaux. 2. *Avoir* la bonté de me le faire savoir.

[1] Attention aux élisions.

II. Thème. Traduire en français les phrases suivantes:
1. Good morning. I am glad to see you. 2. Are you sick today?
3. I was sick yesterday. 4. What was the matter (*avoir*)? 5. I had
a headache; I was afraid of a test (*une composition*). 6. That is
why I was absent. 7. Where are your friends, Gaston and Robert?
You are always together. 8. I think that they will be here on time.
9. I should be pleased to see them. 10. I have something (*à*) to
say to them. 11. Have no fear; there is no test today. 12. I am
very glad (*de*) to hear you say that, because now I shall have an
opportunity to study this evening.

Exercices de grammaire

I. Traduire en français les mots entre parenthèses:

1. (*Seeing*) c'est croire. 2. Je le vois (*coming*). 3. J'aime (*to hear
spoken*) français. 4. Dites-lui de me (*to wait*). 5. Venez me (*to see*)
un de ces jours. 6. Envoyez-le (*to get*). 7. Vouloir, c'est (*be able*).
8. J'ai de la peine à le (*believing*). 9. Il l'a fait sans le (*intending to*).
10. Après (*having*) dîné, il s'est mis à (*read*) le journal.

II. Remplacer le tiret soit par la préposition **à,** soit par la préposition **de,** soit par une croix (†). (La croix indique qu'aucune préposition n'est nécessaire.)

1. Je me permets — vous informer ... 2. Je compte — accompagner mon professeur à Paris. 3. Ils seront heureux — faire votre
connaissance. 4. Voulez-vous bien — me pardonner. 5. Ils auront
plaisir — entrer en contact avec ces experts. 6. Vous tiendrez —
organiser plusieurs réunions. 7. J'espère — pouvoir — les accompagner. 8. Pensez-vous — savoir — parler français? 9. Laissez-
moi — vous le faire — savoir. 10. Je regrette — vous voir — partir.
11. Nous craignons — vous déranger. 12. Il réussira — se faire —
comprendre. 13. Il y a mille choses — faire. 14. Nous avons passé
la soirée — écouter la radio. 15. Ils ont oublié — préparer la leçon.
16. Il m'a demandé — attendre.

III. Remplacer l'infinitif en italique par la forme convenable du
présent:

1. *Parler*-vous français? 2. Ils *aimer* entendre parler français.
3. Nous *regretter* de vous voir souffrant. 4. Ils *perdre* leur temps à
flâner sur les boulevards. 5. Notre professeur ne *perdre* jamais
patience avec ses étudiants. 6. Ils *finir* leurs devoirs à temps.
7. Nous nous *réjouir* à l'avance de vous rencontrer à Athens. 8. A
Paris *sortir*-vous tous les soirs? 9. Ils ne *dormir* pas en classe.
10. J'*entendre* des applaudissements frénétiques.

IV. Remplacer l'infinitif en italique par la forme convenable du verbe:

1. M. Pohl *compter* accompagner un groupe d'experts. 2. La mission *arriver* dans peu de jours. 3. Ils *étudier* en Georgie les méthodes d'enseignement agricole. 4. L'Université de Georgie *choisir* à leur intention le meilleur hôtel de la ville. 5. Quand ces messieurs de France *arriver*, ils *descendre* à cet hôtel. 6. Si le professeur reçoit la lettre de M. Pohl à temps, il *organiser* plusieurs réunions. 7. Si les étudiants *assister* à ces réunions, ils *avoir* l'occasion de rencontrer ces messieurs de France. 8. Les étudiants *être* enchantés de faire la connaissance de ces messieurs de France. 9. Ils *aller* avoir l'occasion de parler français. 10. *Parler* français avec nos camarades.

V. Thème grammatical

1. Whenever I receive a letter, I try to reply to it (*y*) without delay. 2. My friend Mr. Pohl advises me that he is to leave Washington next week. 3. I hope to be able to go to Washington before his departure, for I want very much to see him. 4. If I can't leave (*partir*) tomorrow, I shall miss seeing him and that will be too bad. 5. Mr. Pohl says that he expects to accompany to Athens four very distinguished Frenchmen. 6. The French professor at Athens is a friend of mine,[1] and as soon as I see Mr. Pohl I shall tell him that the professor will be extremely happy to arrange several meetings by means of which the students will come in contact with these gentlemen from France. 7. I am sure that the students will be pleased to make the acquaintance of these gentlemen. 8. I hope that the meetings will be interesting. 9. At these meetings, the students will have an opportunity to speak French and also to hear French spoken. 10. After a moment's reflection (*réfléchir*), I decided to write Mr. Pohl a letter instead of making the trip to Washington.

Thème d'imitation (facultatif)

1. We take the liberty of advising you that we expect shortly to accompany to your university a group of very distinguished Frenchmen. 2. We will spend two weeks (*à*) studying student life at an American university. 3. We shall be very happy to meet your students and to exchange ideas of common interest in the cultural domain. 4. We surmise that you will be anxious to arrange several meetings by means of which your students will have an opportunity to meet these gentlemen. 5. We hope that your students will be pleased to come in contact with these Frenchmen, for they will have the good fortune to hear Parisian French. 6. We are delighted at the prospect of visiting your university. Will you kindly excuse me now. I must go to meet these gentlemen from France.

[1] One of my friends.

5 . Past Participle

6 . Present Perfect Indicative

7 . Agreement of the Past Participle

8 . Present Participle

DAILY VERBS:

venir, savoir

Lettre de remerciements

Paris, le 17 avril

Cher Monsieur,

Nous sommes de retour en France et déjà dispersés: M. Vanoye est retourné à Herbecourt dans la Somme, M. Barat a rejoint son poste à Orléans, M. Matagrin le sien à Annecy, et j'ai repris mon 5 travail à Paris.

Au nom de mes camarades, je viens vous remercier encore de l'excellente soirée que nous avons passée avec vous, vos amis et vos élèves. Ce sera pour nous un des meilleurs souvenirs de notre sé-jour en Amérique. 10

Vous savez que nous avons séjourné quelques jours dans le Minne-sota. La neige recouvrait le sol, mais nous avons trouvé à Saint Paul et à Clayton des amis qui nous ont accueillis chaleureusement. Puis nous sommes revenus à Washington, via Chicago qui nous a paru une grande ville typiquement américaine. New-York nous a 15 également fortement impressionnés.

Nous revenons enchantés de notre voyage, connaissant mieux les Américains, appréciant leurs méthodes de travail, comprenant les raisons de la grandeur et de la puissance de votre patrie, amie de toujours de la France. Puissent [1] des missions semblables à la nôtre 20 se multiplier entre les pays!

[1] **Puissent,** *May.*

13

Les eaux tranquilles du Canal de Thiou reflètent les vieilles maisons d'Annecy, célèbre par son lac et son climat tempéré. (*French Government Tourist Office*)

Veuillez transmettre nos salutations aux élèves et aux professeurs qui nous ont si aimablement fêtés, et croire, cher monsieur, à notre meilleur souvenir et à notre vive sympathie.

P. Coquery

Ingénieur en Chef des Services Agricoles
Chargé de Mission

Mr. BOVÉE, Professor, University of Georgia, Athens

CHOIX D'EXPRESSIONS

être de retour	to be back
je viens vous remercier	I want to thank you
puisse + *inf.*	may . . .

CHOIX D'EXERCICES I

I. Composition orale. En s'inspirant du texte, l'étudiant se préparera à dire quelques mots sur chacun des sujets suivants:

1. La mission est de retour en France.
2. Le but de la lettre de M. Coquery.
3. Les remerciements de M. Coquery.
4. Les villes visitées en Amérique.
5. Les impressions de voyage du groupe.
6. Les vœux de M. Coquery.

II. Se préparer à traduire en anglais les phrases suivantes:

1. Nous sommes de retour en France. 2. Je viens vous remercier de l'excellente soirée que nous avons passée avec vous. 3. Ces amis nous ont accueillis chaleureusement. 4. Chicago nous a paru une ville typiquement américaine. 5. Nous revenons enchantés de notre voyage, connaissant mieux les Américains. 6. Puissent des missions semblables à la nôtre se multiplier entre les deux pays! 7. Veuillez transmettre nos salutations à vos élèves.

III. A l'aide du texte, trouver l'équivalent des mots suivants:

1. être revenus
2. rendre grâce
3. demeurer quelque temps
4. la terre
5. recevoir quelqu'un
6. sembler
7. aussi
8. rentrer
9. la force
10. pays où l'on est né
11. pareil
12. accueillir bien quelqu'un

MISE AU POINT GRAMMATICALE

5. Past Participle

A. Explanation

The past participle (*le participe passé*) is so called because it is a past form of the verb which participates (*participe*) or partakes of the nature both of a verb and an adjective. It is an adjective in that it can modify a noun or pronoun. It is a verb in that it can indicate an action and have objects just like a verb.

B. Forms

1. Regular:

	INFIN.	PAST PART.	ENDINGS
FIRST CONJ.	parler	**parlé**	é
SECOND CONJ.	finir	**fini**	i
THIRD CONJ.	répondre	**répondu**	u
-*oir* GROUP	recevoir	**reçu**	u

2. Irregular:

	prendre	**pris**	s
	faire	**fait**	t

Note. The regular endings of the past participle are **é, i,** and **u.** The irregular endings are **s** and **t.**

C. Use

1. As an adjective:

Nous revenons **enchantés** de notre voyage.

We return delighted with our trip.

Note. **Enchantés** has the function of an adjective since it modifies the subject **nous.**

2. With **avoir:**

Nous **avons séjourné** quelques jours dans le Minnesota.

We spent a few days in Minnesota.

Note. **Avoir** combined with the past participle is one way of forming the present perfect tense.

3. With **être** to form the present perfect tense:

Nous **sommes revenus** à Washington.

We came back to Washington.

Note. **Être** combined with the past participle is the other way of forming the present perfect tense.

4. With **être** to form the passive voice:

Ce professeur **était respecté** de ses élèves.	This teacher was respected by his pupils.
Elle **a été tuée** par un voleur.	She was killed by a robber.

Note. The passive expresses the idea that the subject has been affected or has "suffered" something through the action of the verb. In other cases, the English passive may be translated by **on** and an active verb [1]:

Ici **on parle** français.	French is spoken here.

6. Present Perfect Indicative [2]

A. Explanation

The present perfect tense (*le passé composé*) is used to assert that an action is now completed. The past action is viewed from the point of view of the present. This tense links the past with the present. For this reason it is generally used in ordinary conversation and informal writing to express a past completed action.

B. Formation

1. Conjugated with **avoir**:

	parler	finir	répondre	recevoir
j'ai				
tu as				
il (elle) a				
	parlé	**fini**	**répondu**	**reçu**
nous avons				
vous avez				
ils (elles) ont				

Note. **Avoir** is used with the past participle to form the present perfect tense except for the verbs listed in the following groups in Section 2 and reflexive verbs.

2. Conjugated with **être**:

	rester	sortir	descendre
je suis	**resté(e)**	**sorti(e)**	**descendu(e)**
tu es	**resté(e)**	**sorti(e)**	**descendu(e)**
il (elle) est	**resté(e)**	**sorti(e)**	**descendu(e)**
nous sommes	**resté(e)s**	**sorti(e)s**	**descendu(e)s**
vous êtes	**resté(e)(s)**	**sorti(e)(s)**	**descendu(e)(s)**
ils (elles) sont	**resté(e)s**	**sorti(e)s**	**descendu(e)s**

[1] See page 51 for use of the reflexive in this construction.   [2] Also called the "Past Indefinite."

Note. In the present perfect tense the following verbs are conjugated with **être** instead of **avoir** as long as they are intransitive. They emphasize state of being rather than action. To aid retention, they are presented in three groups:

EXTREMITIES OF LIFE	GOINGS AND COMINGS OF LIFE
naître, *to be born* (*p. p.* né)	aller, *to go* (*p. p.* allé)
mourir, *to die* (*p. p.* mort)	venir, *to come* (*p. p.* venu)
	partir, *to depart* (*p. p.* parti)
	arriver, *to arrive* (*p. p.* arrivé)
	sortir, *to go out* (*p. p.* sorti)
	entrer, *to enter* (*p. p.* entré)
	retourner, *to return, go back* (*p. p.* ietourné)
	revenir, *to return, come back* (*p. p.* revenu)
	devenir, *to become* (*p. p.* devenu)

UPS AND DOWNS OF LIFE

monter, *to climb* (*p. p.* monté)	descendre, *to descend* (*p. p.* descendu)
tomber, *to fall* (*p. p.* tombé)	rester, *to stay, remain* (*p. p.* resté)

(*a*) Any compounds of the above verbs require **être** as long as they are intransitive.

(*b*) **Avoir** is used if the verb is used transitively [1]:

Elle **est descendue** à mon appel.	She came downstairs at my call.
Elle **a descendu** les marches avec précaution.	She came down the stairs cautiously.

7. Agreement of the Past Participle

A. Conjugated with **avoir**:

Je viens vous remercier de l'excellente soirée que nous **avons passée** avec vous.	I want to thank you for the delightful evening we spent with you. (*Spent what? — The evening.*)
New-York nous **a** fortement **impressionnés**.	New York impressed us very much. (*Impressed whom? — Us.*)
Nos étudiants **ont** bien **accueilli** ces messieurs de France.	Our students gave these French gentlemen a good welcome.

Note. When conjugated with **avoir** the past participle agrees with the direct object, provided that this direct object precedes it in the sentence. This device aids clarity by indicating definitely to what the past participle refers.

[1] A transitive verb is one that requires a direct object.

B. Conjugated with **être:**

Nous **sommes revenus** à Paris.   We came back to Paris.

Note. When conjugated with **être** the past participle, which is an adjective, agrees with the subject just like any other adjective. (See § **27.**)

Elle est belle.   Elle est sortie.

This rule does not apply to the reflexive verb.   (See § **18.**)

8. Present Participle

A. Expianation

The present participle (*le participe présent*) is so called because it partakes of the nature both of a verb and an adjective and is supposed to relate to the present.

B. Forms

The present participle always ends in **ant.** Its stem is closely related to that of the first person plural of the present tense.

INFIN.	FIRST PERS. PL. PRES. IND.	PRES. PART.
prendre	prenons	**prenant**
écrire	écrivons	**écrivant**
faire	faisons	**faisant**

Here are three verbs, however, whose present participles do not show any such resemblance:

INFIN.	FIRST PERS. PL. PRES. IND.	PRES. PART.
avoir	avons	**ayant**
être	sommes	**étant**
savoir	savons	**sachant**

C. Use

1. The present participle may be used as a verbal adjective, in which case it agrees with the noun or pronoun it modifies.

de l'eau courante   running water

2. When the present participle indicates an action simultaneous to that of the main verb, it is invariable, i.e., it does not agree with the noun or pronoun.   In this case, also, it has an adjectival force.

Nous revenons enchantés de notre voyage, **connaissant** mieux les Américains, **appréciant** leurs méthodes de travail.

We return delighted with our trip, knowing Americans better, appreciating their methods of work.

Nous avons vu la reine **allant** au château.

We saw the queen as she was going to the castle.

DAILY VERBS

venir	venant	venu	viens	vins
(come)				
viendrai	venais	être venu		vinsse
viendrais	PRES. IND.	viens, viens, vient, venons, venez, viennent		
	PRES. SUBJ.	vienne, viennes, vienne, venions, veniez, viennent		

(**contenir,** *contain;* **devenir,** *become;* **revenir,** *come back;* **se souvenir,** *remember;* **tenir,** *hold;* **retenir,** *detain;* **appartenir,** *belong;* **obtenir,** *obtain*)

savoir [1]	sachant	su	sais	sus
(know)				
saurai	savais	avoir su		susse
saurais	PRES. IND.	sais, sais, sait, savons, savez, savent		
	PRES. SUBJ.	sache, saches, sache, sachions, sachiez, sachent		
	IMPER.	sache, sachons, sachez		

CHOIX D'EXERCICES II

Exercices sur les verbes *venir* et *savoir*

I. Remplacer l'infinitif en italique par la forme convenable du verbe et traduire la phrase en anglais

(*a*) au présent:

1. Je *venir* vous remercier.   2. Il *venir* nous voir tous les jours.
3. Les missions *venir* souvent aux États-Unis.   4. *Savoir*-vous ce que nous avons fait en Georgie?   5. *Savoir*-ils que nous sommes de retour?   6. Je ne *savoir* pas ce que j'ai.   7. C'est un homme qui *savoir* vivre.

(*b*) à l'imparfait:

1. L'année dernière il *venir* chanter avec nous tous les soirs.   2. Nous *venir* tous les matins regarder travailler les ouvriers.   3. Ils ne *savoir* jamais ce qu'ils voulaient faire.   4. Autrefois il *savoir* très bien chanter.

(*c*) au passé composé:

1. Il *savoir* se tirer d'affaire.   2. Dieu merci, je *savoir* répondre à cette question.   3. Elle *venir* nous rendre visite l'été dernier.   4. Ils *venir* étudier nos méthodes.

---

[1] **Savoir** means *take mental possession of,* while **connaître** means *be acquainted with.* **Savoir** frequently has the meaning of *can* in the sense of *know how to* or *be able,* as: **Savez-vous nager?** *Can you (do you know how to) swim?* **Je ne saurais permettre cela.** *I couldn't (can't) allow that.*

(*d*) au futur:

1. Je *savoir* me tirer d'affaire à Paris. 2. Nous *savoir* trouver le chemin. 3. Il *venir* dîner ce soir. 4. Ils *venir* suivre des cours à la Sorbonne.

(*e*) au conditionnel présent:

1. Je ne *savoir* (pas) vous le dire. 2. Il a dit qu'il *venir* à huit heures.

II. Thème. Traduire en français les phrases suivantes:

1. Do you know who has come to see us? 2. I don't know. 3. Does he know how to speak French? 4. I am sorry but I couldn't tell you. 5. I used to know how to play (*de*) the piano when I was young. 6. They will come back next year. 7. He didn't know his lesson to-day. 8. They come from Paris. 9. Will they come back next year? 10. They came to see America.

Exercices de grammaire

I. Remplacer l'infinitif en italique par le participe passé:

1. Ils ont *parler* affaires. 2. Personne n'a *applaudir*. 3. J'ai *faire* mon possible. 4. Je voudrais savoir ce qu'il a *perdre*. 5. Qu'est-ce que vous avez *prendre?* 6. Je n'ai rien *voir*. 7. Ils ont *vouloir* voir notre pays. 8. Elle est *sortir* il y a un quart d'heure.

II. Remplacer les infinitifs en italique par les participes passés. Il faut faire attention à l'accord des participes passés.

1. Nous revenons *enchanter*. 2. Ils sont *revenir* à Washington. 3. M. Barat les a *rejoindre* à New-York. 4. La soirée qu'ils ont *passer* était excellente. 5. Leurs amis de Clayton les ont *accueillir* chaleureusement. 6. Nos élèves les ont *fêter* très aimablement. 7. Les villes qu'ils ont *visiter* les ont fortement *impressionner*. 8. Ils sont *rester* un mois aux États-Unis. 9. Chicago leur a *paraître* une ville typiquement américaine. 10. *Perdre* dans la forêt, les enfants ont *avoir* de la peine à en sortir. 11. Ils sont de retour en France et déjà *disperser*. 12. Ils ont *être fêter* partout.

III. Mettre au passé composé les phrases suivantes. Il faut faire attention à l'accord des participes passés.

1. La mission part de France en février. 2. Elle arrive en Georgie en mars. 3. Ils viennent étudier l'enseignement agricole. 4. Les étudiants les accueillent chaleureusement. 5. Ils assistent à la réunion du Cercle Français. 6. Ils ne perdent pas leur temps. 7. Le programme du Cercle Français a un succès fou. 8. M. Pohl les

accompagne. 9. A Washington ils descendent à l'Hôtel Mayflower.
10. Ces messieurs de France sont enchantés de leur visite.

IV. Combiner les paires de phrases en remplaçant un verbe par
le participe présent [1] et faire les changements nécessaires :

Modèle. (*a*) Nous ne savions que faire.
(*b*) Nous sommes entrés dans un café.
Ne sachant que faire, nous sommes entrés dans un café.

1. (*a*) La secrétaire est entrée.
(*b*) Elle a dit « Bonjour, monsieur ».
2. (*a*) Il n'a pas compris la question.
(*b*) Il n'a pas pu répondre.
3. (*a*) Il s'est trouvé seul dans la salle à manger.
(*b*) Il a volé une pêche.
4. (*a*) Il est malade.
(*b*) Il a dû rester chez lui.
5. (*a*) Il a eu mal à la tête.
(*b*) Il n'a pas pu faire ses devoirs.

V. Thème grammatical

1. The French teacher received a letter written by Mr. Pohl an-
nouncing his visit. 2. Delighted at (*de*) the prospect of receiving
this French mission, the French teacher replied to him at once.
3. Naturally, the mission crossed on a ship of the French Line.
4. When they arrived in New York, they put up at the St. Moritz.
5. They stayed a week in New York. 6. After that, they left for
Washington. 7. The President of the United States received them
cordially. 8. He said: "Welcome to the United States. We are
glad to see you." 9. They spent a week visiting the sights of Washington. 10. The city impressed them greatly, especially the Washington Monument. 11. They went to see Washington's tomb at Mt.
Vernon. 12. They returned to Washington, delighted with the visit.

Thème d'imitation (facultatif)

1. The students who traveled in France this summer are back in
America and already dispersed. 2. They came back delighted with
their trip, knowing the French people better, appreciating their culture, understanding their glorious past and the spirit of France.
3. The sights that they saw impressed them greatly, but the most
memorable thing will always be the week that they spent in Paris.
4. Paris greeted them warmly, as only Paris knows how to do.

[1] The verb of the statement of lesser importance becomes the present participle.

5. They came merely to have a good time but remained to study, admire, and appreciate its cultural aspects. 6. May cultural missions between France and America become more numerous! 7. Please be good enough to give my greetings to our French teacher when you see him. 8. I'll come and thank him for (*de*) his excellent advice (pl.) as soon as I get back to school.

9 . *Depuis* + Present Indicative

10 . Present Conditional

11 . Gerund

DAILY VERBS:

faire, vouloir

Robert Martin sera le bienvenu

Paris, le 12 juin

Cher Monsieur,

J'attends avec impatience M. Robert Martin, votre jeune élève, et déjà je forme des projets pour rendre son séjour en France profita-
5 ble, agréable, mémorable. Je voudrais qu'il vous revienne marqué de l'esprit français. Rien n'est plus facile, me semble-t-il: Paris n'est-il pas le foyer où, depuis le Moyen Age, se forment tant d'étudiants venus de tous les pays du monde? Et les provinces françaises ne sont-elles pas également riches de leur passé comme de leur activité
10 présente? Paris et la province: voilà la France que M. Martin doit fréquenter pour la connaître et pour l'aimer.

Il trouvera d'abord à la Cité Universitaire, près du Parc Montsouris, une ambiance de jeunesse et de verdure qui lui rappellera celle des universités américaines. La vie semble facile dans ces confortables
15 pavillons, si près des pelouses verdoyantes et des grands arbres du Parc. Il ne sera pas dépaysé comme il le serait s'il devait vivre dans le Quartier Latin.

Il choisira des groupes auxquels se joindre pour faire du sport et pour se distraire, des camarades avec qui parler et aussi un ami à qui
20 confier peines et joies.

Car j'espère bien que votre jeune ami voudra participer à la vie estudiantine si caractéristique du Quartier Latin. Tout sera pour lui l'occasion de se perfectionner dans notre langue: les cours à la Sorbonne, la fréquentation des bibliothèques, la lecture des revues

24

Les vendanges en Bourgogne. Celui qui ne connaît pas les Français qui travaillent ne connaît pas la France. (*French Government Tourist Office*)

et des journaux, les spectacles et même les discussions littéraires, artistiques, politiques et religieuses, si vives entre jeunes gens.

Je me ferai un plaisir de lui donner le goût de nos riches musées, de nos monuments et de nos expositions d'art. Il est [1] des étrangers qui,
5 comme les vrais Parisiens, connaissent l'histoire de nos monuments. Ils en jouissent, comme eux, en donnant un coup d'œil en passant. Mais celui qui ne connaît pas les Français qui travaillent ne connaît pas la France. Il faut se lever tôt pour surprendre la vie trépidante des Halles Centrales. Il faut descendre l'étroite rue Mouffe-
10 tard [2] quand les marchandes poussent leurs cris à l'adresse des ménagères. Il faut parler avec les ébénistes d'art du Faubourg St.-Antoine,[3] avec les ouvriers des usines de la banlieue, avec les agriculteurs, les artisans ruraux, les commerçants des petites villes et des villages, pour comprendre la mentalité du Français, son amour du
15 travail bien fait, son esprit frondeur.

Ces visites multipliées lui donneront l'occasion d'apprécier l'hospitalité française qui se manifeste simplement, même chez les plus humbles.

Tel est le programme que je vous proposerais, avec l'espoir que
20 M. Martin réalisera ce vœu qui vous est cher: connaître la France et les Français en vivant la vie française pour mieux les aimer.

Veuillez agréer, cher Monsieur, l'expression de mes sentiments très distingués.

P. Coquery

CHOIX D'EXPRESSIONS

donner l'occasion de + *inf.*	to offer the opportunity of
faire du sport	to take part in (go out for) sports
se faire un plaisir de + *inf.*	to be glad to
former des projets pour + *inf.*	to make plans to

CHOIX D'EXERCICES I

I. Composition orale. En s'inspirant de la lettre, l'étudiant se préparera à dire quelques mots sur chacun des sujets suivants:

1. Le but de la lettre de M. Coquery.
2. Les projets de M. Coquery à l'égard de Robert.
3. Paris — foyer de la culture française; les provinces françaises.

[1] Il est = Il y a. [2] Often shown in the movies, this curious street lies just southeast of the Pantheon and the Latin Quarter. Its animation has a peculiar attraction. [3] This street runs from the Place de la Bastille to the Place de la Nation (east-central section of Paris). It is the center of the cabinet-making industry.

4. La Cité Universitaire: l'ambiance, la vie dans les pavillons, les avantages de ce milieu.
5. Le Quartier Latin: les occupations de l'étudiant.
6. L'offre de M. Coquery.
7. Ce que Robert doit faire pour connaître la France. Les Halles Centrales; la rue Mouffetard; les ouvriers; la mentalité française.
8. L'hospitalité française.
9. Le programme proposé.
10. Votre opinion de cette lettre.

II. Se préparer à traduire en anglais les phrases suivantes:

1. Je voudrais qu'il vous revienne marqué de l'esprit français. 2. Paris n'est-il pas le foyer où, depuis le Moyen Age, se forment tant d'étudiants venus de tous les pays du monde? 3. Paris et la province: voilà la France que M. Martin doit fréquenter pour la connaître et pour l'aimer. 4. Il ne sera pas dépaysé comme il le serait s'il devait vivre dans le Quartier Latin. 5. J'espère bien que votre jeune ami voudra participer à la vie estudiantine. 6. Je me ferai un plaisir de lui donner le goût de nos riches musées, de nos monuments et de nos expositions d'art. 7. Mais celui qui ne connaît pas les Français qui travaillent ne connaît pas la France. 8. Tel est le programme que je vous proposerais, avec l'espoir que M. Martin réalisera ce vœu qui vous est cher: connaître la France et les Français en vivant la vie française.

MISE AU POINT GRAMMATICALE

9. **Present Tense with *depuis* or $\left.\begin{array}{l} il\ y\ a \\ voilà \end{array}\right\}$ ... *que***

Paris n'est-il pas le foyer où, **depuis** le Moyen Age, **se forment** tant d'étudiants ...?

Isn't Paris the center where, ever since the Middle Ages, so many students have been receiving intellectual training ... (*and still are*)?

Le train est en retard. Nous l'**attendons depuis** un quart d'heure.

The train is late. We have been waiting for it for a quarter of an hour (*and still are*).

Il y a (**Voilà**) un quart d'heure **que** nous l'**attendons.**

We have been waiting for it for a quarter of an hour.

Note. An action or state that began in the past and is still continuing in the present is expressed in French by the present tense with **depuis** or **voilà** (**il y a**) ... **que.** In English the present perfect tense is used.

10. Present Conditional

A. Formation

   1. Regular verbs:

     parler
     finir   } **–ais, –ais, –ait, –ions, –iez, –aient**
     attendre

    Note. The present conditional (*le conditionnel présent*) is formed by adding **–ais, –ais, –ait, –ions, –iez, –aient** to the infinitive. Final **e** of the third conjugation is dropped.

   2. Irregular verbs:

INFIN.	FUTURE	CONDITIONAL
être	je serai	je **ser–ais**
falloir	il faudra	il **faudr–ait**

    Note. To the stem of the irregular future, add the regular conditional endings.

B. Use

   1. To soften a statement, i.e., make a modest assertion:

Je **voudrais** qu'il vous revienne . . .	I should like him to return to you . . .

   2. To relate the future to the past:

M. Coquery a répondu (répondit) qu'il **serait** enchanté d'aider Robert Martin.	Mr. Coquery replied that he would be delighted to help Robert Martin.
J'étais sûr que M. Coquery y **consentirait.**	I was sure that Mr. Coquery would consent to it.
M. Coquery avait dit qu'il m'**écrirait** dès son retour à Paris.	Mr. Coquery had said that he would write me as soon as he returned to Paris.

    Note. When the main verb is in the present perfect, past definite, imperfect, or pluperfect, the verb of the subordinate clause is in the present conditional, to express the idea of futurity.

   3. To express an action subordinate to a supposition or a condition:

S'il y avait encore une guerre, ce **serait** la fin du monde.	If there should be another war, it would be the end of the world.
Si François était là, nous **évoquerions** des souvenirs.	If Frank were here, we would talk about old times.

Note. In the preceding examples the conditional expresses a conclusion while the clause introduced by **si** (*if*) presents an event either supposed or contrary to reality.

4. To suggest a possibility or possible explanation:

Il ne remue plus; on **dirait** qu'il est mort.	He doesn't stir; it looks as if he is dead.

11. Gerund

A. Formation

INFIN.	FIRST PERS. PL. PRES. TENSE	GERUND
dire	nous disons	disant
faire	nous faisons	faisant

Note. In French the present participle and the gerund (*le gérondif*) are identical in formation although they are of different origin and are used differently.

B. Use

Connaître la France et les Français **en vivant** la vie française . . .	To become acquainted with France and the French people by living as the French do . . .

Note. The only use of the gerund in modern French is after the preposition **en**. This construction indicates that the subject of the sentence performs two actions simultaneously. The action expressed by the gerund is subordinate to that of the main verb, which it modifies. **En** + the gerund may express condition, situation, or manner. To express these ideas **en** may mean *while, by, on, in, upon*. **En** is the only preposition NOT FOLLOWED BY THE INFINITIVE.

DAILY VERBS

faire   faisant   fait   fais   fis
  (*do, make*)
ferai   faisais   avoir fait   fisse
ferais   PRES. IND.   fais, fais, fait, faisons, faites, font
      PRES. SUBJ.   fasse, fasses, fasse, fassions, fassiez, fassent
           (**satisfaire,** *satisfy*)

vouloir   voulant   voulu   veux   voulus
  (*wish*)
voudrai   voulais   avoir voulu   voulusse
voudrais   PRES. IND.   veux, veux, veut, voulons, voulez, veulent
      PRES. SUBJ.   veuille, veuilles, veuille, voulions, vouliez, veuillent
      IMPER.   veuille, veuillons, veuillez

CHOIX D'EXERCICES II

Exercices sur les verbes *faire* et *vouloir*

I. Remplacer l'infinitif en italique par la forme convenable du
verbe et traduire la phrase en anglais

(*a*) au présent:

1. Que *vouloir*-vous dire? 2. Ils *vouloir* participer à la vie estudiantine. 3. Qu'est-ce que vous *faire?* 4. Nous ne *faire* rien de spécial.
5. Les élèves *faire* leurs devoirs tous les jours.

(*b*) à l'imparfait:

1. Je *faire* une promenade lorsque la pluie a commencé. 2. Robert
vouloir vivre la vie française.

(*c*) au passé composé:

1. Nous *faire* de notre mieux pour réaliser ses vœux. 2. Ils *faire*
une promenade charmante. 3. Elle *vouloir* partir tout de suite.

(*d*) au futur:

1. Je *faire* de mon mieux pour vous faire plaisir. 2. Que *faire*-vous
ce soir? 3. Marie nous *faire* savoir si elle ne peut pas être des nôtres.

(*e*) au conditionnel présent:

1. Je *vouloir* qu'il vous revienne marqué de l'esprit français. 2. Je
me *faire* un plaisir de lui donner le goût de nos riches musées. 3. Il
a dit qu'il *faire* tout son possible pour bien accueillir Robert.

II. Thème sur les verbes

1. What have you been doing since yesterday? 2. I should be glad
to join you tomorrow. 3. Kindly let me know if you will be free
tomorrow afternoon. 4. Do you want to [come] [1] spend an hour
(*à*) playing (*au*) tennis? 5. I am willing. 6. We have been wanting
to take a trip to France for a long time. 7. They always do what
(*ce que*) they want.

Exercices de grammaire

I. Remplacer l'infinitif en italique par la forme convenable du
verbe:

1. Nous *demeurer* dans cette ville depuis dix ans. 2. Je *habiter* à
Paris pendant cinq ans avant de venir aux États-Unis. 3. Il y a

---

[1] Words in brackets are not used in English but they should be translated
in the French sentence.

vingt-cinq ans que ce monsieur *être* professeur. Ses élèves l'*aimer* beaucoup. 4. Ce monsieur *être* professeur à Yale pendant quinze ans. Il enseigne maintenant à Stanford. 5. Depuis quand *étudier*-vous le français? 6. Voilà un an que je *étudier* le français. 7. Elle dit qu'elle *venir* vous rendre visite demain. 8. Elle a dit hier qu'elle *venir* nous rendre visite demain. 9. M. Coquery *vouloir* que Robert revienne marqué de l'esprit français. 10. J'étais sûr que M. Coquery *faire* tout son possible pour aider Robert. 11. Si j'étais Robert, je *être* très heureux. 12. Si j'avais la chance de passer une année en France, je *faire* de mon mieux pour en profiter le plus possible. 13. On *dire* que Robert a une chance inouïe. 14. Si Robert écrivait de bonnes lettres à son professeur de français, cela lui *faire* grand plaisir. 15. *Être*-il possible que Robert refuse l'offre généreuse de M. Coquery?

II. Combiner les paires de phrases en remplaçant un verbe par le gérondif [1] et faire les changements nécessaires:

1. (a) Il espère connaître la France.
   (b) Il vivra la vie française.
2. (a) Il lui donnera un coup d'œil.
   (b) Il passera.
3 (a) Ils en jouissent.
   (b) Ils y donnent un coup d'œil.
4. (a) J'ai parlé avec mon père.
   (b) J'ai attendu le train.
5. (a) Nous avons fait un voyage en France.
   (b) Nous avons appris beaucoup de choses.

III. Thème grammatical

1. For how long have you been making plans to [go] spend a year in France? 2. I have had this project in mind for three years. 3. He has been studying French for a long time and will continue (*à*) to study it in Paris. 4. Mr. Coquery replied that he would be delighted to do his best to help Robert. 5. If Robert studied hard,[2] he would be able[3] to speak French well at the end of the year. 6. By taking advantage of each opportunity, Robert will carry out the wish of his teacher. 7. If he went often to the Comédie-Française, he would hear the beautiful diction of its artists. 8. His professor thinks that Robert will have no difficulty in getting along in Paris. 9. As soon as Robert reaches Paris, he will visit Mr. Coquery. 10. By following the program proposed by Mr. Coquery, Robert will become acquainted with France and the French people.

---

[1] Remember that the gerund is restricted to use after the preposition **en.**
[2] **faire de bonnes études.**   [3] **savoir.**

Thème d'imitation (facultatif)

1. For several days, Mr. Coquery has been waiting for the arrival of Robert Martin and has been planning to make his stay pleasant and profitable. 2. Isn't Paris the center where, since the Middle Ages, so many students who have come from all over the world have been trained? 3. Mr. Coquery would like to see Robert become [1] a real Parisian. 4. Robert would be completely out of his element if he had to live in the Latin Quarter. 5. Mr. Coquery was hoping that Robert would take advantage of every opportunity to perfect himself in French. 6. Mr. Coquery said (que) he would be pleased to give Robert an appreciation of the galleries of Paris. 7. He who does not know the French at work just does not know France. 8. By talking with the workmen, the artisans, and the shopkeepers of the little towns and villages, Robert will be able to understand the mentality of the Frenchman, his love of work well done, and his spirit.

[1] **se faire.**

U N I T IV

12 . Imperfect Indicative

13 . *Depuis* + Imperfect

14 . Pluperfect Indicative

15 . Perfect Conditional

16 . Conditions — Summary

DAILY VERBS:

aller, dire, croire

Special group with *avoir*

La Traversée et l' Arrivée à Paris

Mon cher Maître:

Je vous écris de la Cité Universitaire où je suis actuellement installé
au Collège Franco-Britannique, après une traversée merveilleuse.
Inutile de vous dire que j'ai hâte de partir me promener dans cette
grande ville de Paris et d'y découvrir les merveilles d'architecture dont   5
vous m'avez parlé. Je veux cependant ne pas manquer de vous
raconter l'épisode trop court de notre voyage sur l'*Ile de France*.[1]
C'était tout simplement magnifique. La mer était calme pendant
ces quelques journées et j'étais très confortablement installé dans une
cabine touriste avec de charmants compagnons de voyage. Tous les   10
jours, après avoir déjeuné, nous allions nous promener sur le pont et
passions la matinée à d'interminables parties de deck-tennis. La
plupart du temps nous passions l'après-midi à la piscine ou au cinéma
où j'essayais de m'accoutumer à la prononciation française. Je n'ose
(pas) [2] trop insister sur les résultats.   15
Si j'avais su, j'aurais travaillé mon français encore plus sérieusement, mais j'espère que tout ira mieux dans quelques semaines. Sur
le bateau, j'ai eu le bonheur de faire la connaissance d'une charmante

---

[1] Luxury liner of the *Compagnie Générale Transatlantique* (French Line). The
name of this vessel is taken from that of the former French province in which
Paris is located.   [2] **Pas** may be omitted.

La Gare Saint-Lazare, Paris. Ces voyageurs attendent l'heure du départ d'un train transatlantique. *(French Government Tourist Office)*

Parisienne avec qui j'allais chaque soir danser et j'espère bien la revoir à la Faculté. Elle avait passé une année à l'Université de Chicago et a eu la gentillesse de me donner de nombreuses adresses de ses camarades étudiants à Paris. J'étais bien content de l'avoir rencontrée, car elle m'a bien aidé à me débrouiller à notre arrivée au   5 Havre. Heureusement, les douaniers étaient très aimables avec la plupart des étudiants mais, à notre arrivée à la gare Saint-Lazare, j'étais vraiment complètement perdu.

Si je vous avais écouté, j'aurais emporté ce plan de Paris que vous m'aviez proposé. Malgré tout, je m'en suis assez bien tiré et j'ar- 10 rivais à cette magnifique Cité Universitaire à l'heure du déjeuner. Tous les étudiants étaient si gentils pour moi que je ne pouvais croire à ma chance.

Vous aviez raison de me dire que cette année allait être enrichissante. D'ailleurs, dès mon arrivée, je me suis rendu compte à quel 15 point j'avais bien fait de suivre vos excellents conseils et d'arriver en France le premier août, car j'aurai bien le temps de m'orienter avant la rentrée des classes à la Sorbonne.

Veuillez m'excuser maintenant si je vous quitte, mais quelques-uns de mes nouveaux amis m'attendent pour aller faire un tour au Quar- 20 tier Latin, que l'on appelle le « Cerveau de Paris ».

En vous remerciant de tout ce que vous avez fait pour moi, je vous prie de croire, mon cher Professeur, à l'assurance de mes sentiments respectueux.

Robert Martin

CHOIX D'EXPRESSIONS

avoir le bonheur de + *inf.*	to have the good fortune to
avoir la gentillesse de + *inf.*	to be kind enough to
avoir hâte de + *inf.*	to be in a hurry to
avoir raison (de)	to be right
faire bien de + *inf.*	to do well to, be right in
faire un tour	to take a stroll
se rendre compte	to realize
suivre des conseils	to take advice
s'en tirer; se tirer d'affaire	to get along, manage

CHOIX D'EXERCICES I

I. Composition orale. En s'inspirant de la lettre, l'étudiant se préparera à dire quelques mots sur chacun des sujets suivants:

1. Le Collège Franco-Britannique.
2. La traversée: le temps, la mer, sa cabine, les occupations de la journée, la charmante Parisienne.
3. L'arrivée: au Havre, à Paris, à la Cité Universitaire.
4. Les conseils du professeur de Robert.
5. Robert s'excuse: le Quartier Latin.

II. Se préparer à traduire en anglais les phrases suivantes:

1. Inutile de vous dire que j'ai hâte de partir me promener dans cette grande ville de Paris. 2. Si j'avais su, j'aurais travaillé mon français plus sérieusement. 3. J'ai eu le bonheur de faire la connaissance d'une charmante Parisienne. 4. Elle a eu la gentillesse de me donner de nombreuses adresses de ses camarades étudiants. 5. Malgré tout, je m'en suis assez bien tiré. 6. Vous avez raison de me dire que cette année allait être enrichissante. 7. D'ailleurs, dès mon arrivée, je me suis rendu compte à quel point j'avais bien fait de suivre vos excellents conseils. 8. Veuillez m'excuser maintenant si je vous quitte, mais quelques-uns de mes nouveaux amis m'attendent pour aller faire un tour au Quartier Latin.

MISE AU POINT GRAMMATICALE

12. Imperfect Indicative

A. Formation

PRES. PART.		IMPERFECT
	Stem	Endings
racontant	racont	−ais, −ais, −ait,
finissant	finiss	−ions, −iez, -aient
faisant	fais	

Note. The imperfect tense (*l'imparfait*) is formed by removing −**ant** from the present participle and adding the regular endings. Three verbs are exceptions:

INFIN.	PRES. PART.	IMPERF.
avoir	ayant	avais
falloir	-----	fallait
savoir	sachant	savais

B. Use

1. Description:

   La mer **était** calme.   The sea was calm.

2. Repetition:

   Tous les jours nous **allions** nous   Every day we used to walk the
   promener sur le pont.   deck.

3. Progressive action:

Le professeur **travaillait** lorsque   The professor was working when
la lettre de Robert est arrivée.   Robert's letter arrived.

Note. The imperfect tense describes a condition as it appeared in the past or an action that was progressive, habitual, or repeated. It does not assert that the action was complete at a definite past time.

4. In the **si**-clause of some conditional sentences:

S'il faisait beau, nous irions à la   If it were nice weather, we would
campagne.   go to the country.

Note. See **16** B and C on the following page.

13. Imperfect Tense with *depuis* or $\left. \begin{array}{l} \textit{il y avait} \\ \textit{voilà} \end{array} \right\}$ . . . *que*

Robert **était** à Paris **depuis** trois   Robert had been in Paris three
jours quand il a écrit cette lettre.   days when he wrote this letter.

Note. An action or state that began in the past and continued up to a certain time in the past, expressed in English by the pluperfect, is expressed in French by the imperfect with **depuis** or **il y avait (voilà)** . . . **que.**

14. Pluperfect Indicative

A. Formation

$\left. \begin{array}{l} \textbf{j'avais, etc.} \\ \textbf{j'étais, etc.} \end{array} \right\}$ + past participle (–é, –i, –u, –s, –t) ENDINGS

Note. The pluperfect tense (*le plus-que-parfait*) is formed by using the imperfect of **avoir** or **être** with the past participle of the verb.

B. Use

Robert a su se tirer d'affaire à Paris   Robert was able to get along in
parce qu'il **avait** bien **travaillé**   Paris because he had worked
son français avant de partir.   hard at his French before leaving.

Note. The pluperfect asserts that an action was completed previous to another past action. It is two steps into the past.

15. Perfect Conditional

A. Formation

$\left. \begin{array}{l} \textbf{j'aurais, etc.} \\ \textbf{je serais, etc.} \end{array} \right\}$ + past participle (–é, –i, –u, –s, –t) ENDINGS

Note. The perfect conditional tense (*le conditionnel passé*) is formed by using the conditional of **avoir** or **être** with the past participle of the verb.

B. Use

1. Si j'avais su, j'**aurais travaillé**   If I had known, I would have
mon français plus sérieusement.   worked harder at my French.

Note. A contrary-to-fact condition referring to past time requires the pluperfect in the **si** (*if*) clause and the perfect conditional in the conclusion.

2. L'Homme au Masque de Fer   Could the Man with the Iron Mask
aurait-il été un frère jumeau   have possibly been a twin brother
de Louis XIV?   of Louis XIV?

Note. The perfect conditional is very frequent in present French style. It implies a conjecture or a rumor.

16. Summary of Conditions

A. Condition relative to the future:

S'il n'y **a** plus de guerres, le monde   If there are no more wars, the
sera plus heureux.   world will be happier.

Note. In a condition relating to the future, the verb after **si** (*if*) is put in the present, while the verb of the conclusion is put in the future.

B. Future condition relating to the past:

Il a dit qu'il **viendrait** demain s'il   He said he would come tomorrow
était en ville.   if he were in town.

Note. When a future condition relates to the past, then the verb after **si** (*if*) is put in the imperfect while the verb of the conclusion is put in the conditional.

C. A present contrary-to-fact condition:

Si j'**étais** riche, je **ferais** le tour du   If I were rich, I would go around
monde.   the world.

Note. A contrary-to-fact condition referring to the present time requires the imperfect in the **si**-clause and the conditional in the conclusion.

D. Condition contrary to fact relating to past time:

Si je vous **avais écouté**, j'**aurais**   If I had listened to you, I would
emporté ce plan de Paris que   have brought along that map of
vous m'aviez proposé.   Paris that you suggested to me.

Note. In a contrary-to-fact condition relating to the past, the verb of the condition (**si**) is put in the pluperfect, while the verb of the conclusion is put in the perfect conditional.

DAILY VERBS

aller   allant   allé   vais   allai
  (*go*)
irai   allais   être allé   allasse
irais   PRES. IND.   vais, vas, va, allons, allez, vont
       PRES. SUBJ.   aille, ailles, aille, allions, alliez, aillent

dire   disant   dit   dis   dis
  (*say, tell*)
dirai   disais   avoir dit   disse
dirais   PRES. IND.   dis, dis, dit, disons, dites, disent
       PRES. SUBJ.   dise, dises, dise, disions, disiez, disent

croire   croyant   cru   crois   crus
  (*believe*)
croirai   croyais   avoir cru   crusse
croirais   PRES. IND.   crois, crois, croit, croyons, croyez, croient
       PRES. SUBJ.   croie, croies, croie, croyions, croyiez, croient

Avoir

GROUPE PARTICULIER

avoir chaud	to be warm	**avoir raison (de)**	to be right
avoir froid	to be cold	**avoir tort (de)**	to be wrong
avoir faim	to be hungry	**avoir peur (de)**	to be afraid
avoir hâte (de)	to be in a hurry	**avoir honte (de)**	to be ashamed
avoir soif	to be thirsty	**avoir besoin (de)**	to need
avoir sommeil	to be sleepy	**avoir envie (de)**	to feel like

CHOIX D'EXERCICES II

Exercices sur les verbes *aller, dire, croire*

I. Remplacer l'infinitif en italique par la forme convenable du verbe et traduire la phrase en anglais

(*a*) au présent:

1. Comment *aller*-vous?   2. Je *aller* très bien, merci.   3. Ça *aller* bien, merci.   4. Je *aller* me promener.   5. Qu'est-ce que vous *dire?* 6. Nous *dire* la vérité.   7. Je ne *dire* pas « non ».   8. Je *croire* bien. 9. Que *croire*-vous faire?   10. Ils *croire* tout ce qu'on leur *dire*.

(b) à l'imparfait:

1. Il nous *dire* bonjour tous les matins. 2. Je *croire* qu'elle *être* partie. 3. Je *aller* justement vous donner un coup de téléphone. 4. Ils *croire* toujours ce que je leur *dire*.

(c) au passé composé:

1. Ils *aller* au bord de la mer. 2. Elle *aller* faire des achats. 3. Il *dire* sa façon de penser. 4. Ils *dire* tout ce qu'ils avaient à dire. 5. Je *croire* qu'il allait me rire au nez. 6. Nous *croire* devoir le faire.

(d) au futur:

1. Beaucoup de touristes *aller* à Paris (l'été prochain). 2. Nous *dire* au revoir à nos camarades à la fin de l'année scolaire. 3. On *croire* Robert Parisien à son retour.

(e) au conditionnel présent:

1. Robert a dit qu'il *aller* faire un tour au Quartier Latin. 2. On le *dire* Parisien. 3. Je le *croire* volontiers s'il disait la vérité de temps en temps.

(f) au plus-que-parfait et conditionnel passé:

1. Si j'en *croire* ce qu'il m'a dit, je *emporter* un plan de Paris. 2. Si mon père me *dire* de travailler plus sérieusement, je le *faire* volontiers. 3. Si je *aller* en France avant d'avoir étudié le français, je *être* complètement perdu.

II. Traduire en français les phrases suivantes:

1. How is she? — She is very well. 2. We went to see a French picture (*le film*) last night. 3. They will go to visit the Louvre tomorrow. 4. She said she would [go] spend the week end (*le weekend*) in the country. 5. We did not believe all he said. 6. They used to believe that the earth was flat.

Exercices de grammaire

I. Remplacer l'infinitif en italique par la forme convenable du verbe:

1. Il *être* malade depuis quinze jours lorsqu'il est mort. 2. L'année dernière, il *venir* nous voir tous les jours. 3. Pendant la traversée nous *passer* la matinée à d'interminables parties de deck-tennis. 4. Tous les étudiants étaient si gentils que je ne *pouvoir* croire à ma chance. 5. La charmante Parisienne a dit qu'elle *passer* l'année dernière à l'Université de Chicago. 6. Si Robert avait écouté son professeur, il *emporter* le plan de Paris. 7. Si Robert n'avait pas

fait de bonnes études en français, il ne *savoir* pas se tirer d'affaire à Paris. 8. Robert aurait été complètement perdu à son arrivée au Havre si la jeune Parisienne ne l'*aider* pas à se débrouiller. 9. Robert a su s'en tirer à Paris parce qu'il *travailler* son français aux États-Unis. 10. Hier soir, je *écouter* la radio quand tout à coup on a frappé à la porte. 11. Voilà huit jours que M. Coquery *attendre* Robert lorsqu'il a reçu un coup de téléphone lui *dire* que Robert *être* bien installé à la Cité Universitaire. 12. Son père *vouloir* bien accompagner Robert mais il n'a pas pu s'absenter de son bureau.

II. Combiner les paires de phrases suivantes et faire les changements nécessaires:

Modèle. (a) Il *sera* enchanté de revoir la charmante Parisienne.
(b) Il a dit qu'il *serait* enchanté de revoir la charmante Parisienne.

1. (a) Elle *verra* Robert à la Faculté.
   (b) Elle a répondu qu'elle . . .
2. (a) Il *y aura* une chambre toute prête à la Cité Universitaire.
   (b) Robert espérait qu'il . . .
3. (a) Tout *ira* mieux dans quelques semaines.
   (b) Robert croyait que tout . . .
4. (a) Robert *fera* une visite à M. Coquery dès son arrivée.
   (b) Son professeur était sûr que Robert . . .
5. (a) Robert *reviendra* marqué de l'esprit français.
   (b) M. Coquery espérait que Robert . . .

III. Mettre les verbes des phrases suivantes aux temps composés convenables:

Modèle. (a) Si Robert *travaillait* son français plus sérieusement, il *saurait* mieux s'en tirer.
(b) Si Robert *avait travaillé* son français plus sérieusement, il *aurait su* mieux s'en tirer.

1. Si Robert n'*allait* pas en France, il *manquerait* une occasion extraordinaire. 2. Si vous *écoutiez* votre professeur, vous *emporteriez* un plan de Paris. 3. Robert *arriverait* à Paris trop tard s'il ne *suivait* pas les conseils de son professeur. 4. Il ne *pourrait* pas se promener sur le pont s'il *faisait* mauvais temps. 5. Si Robert *savait* bien parler français, il n'*aurait* pas besoin d'aller faire des études à Paris.

IV. Thème grammatical

1. Robert had been studying French for four years when one day his father said that he could [go] spend a year in Paris. 2. His French professor was delighted because he knew that Robert had been hoping for a long time to be able to go to France. 3. Robert used to read all the books about Paris he could find. 4. To visit Paris

was a cherished dream.   5. If his father had not consented to the trip, Robert would have asked his uncle, Mr. Bishop, to lend him the money.   6. Robert would have studied more seriously if he had believed that there was a way (*un moyen*) of getting to Paris.   7. If Robert had known that his uncle had urged his father to allow him to leave, he would have been twice as happy.   8. I should have liked to study at the Sorbonne when I was a student.   9. I should have certainly taken advantage of the opportunity.   10. If Mr. Bishop had not taken a trip to France fifteen years ago, he would not have urged his brother to send Robert.

Thème d'imitation (facultatif)

1. Robert had been studying French for four years when, one day, his father said to him: "I should have liked to have (*faire*) you spend a year (*à*) studying at the Sorbonne but I don't believe I can succeed in arranging it."   2. But thanks to his uncle, Mr. Bishop, Robert is at the present time comfortably installed at the Collège Franco-Britannique.   3. Naturally, he is in a hurry to take a stroll in the beautiful city of Paris, which contains so many architectural wonders.   4. He realized right away that he had done well to take the advice of his teacher and arrive in France before August 1.   5. The crossing was wonderful. The weather was beautiful and the food excellent.   6. Robert was fortunate enough to meet many charming traveling companions.   7. In [1] the morning they used to walk [on] the deck or swim in the pool. In [1] the afternoon, they used to go to the movies. In [1] the evening Robert used to dance with a charming Parisian whose acquaintance he had made during the crossing.   8. While dancing with this young Parisian, Robert had an excellent opportunity to speak French.   9. If Robert had known sooner that he was going to spend a year in France, he would have worked harder at his French.   10. Robert was right in taking advantage of every opportunity to perfect his French, for in this way he would be able to get along better at the Sorbonne.

[1] Omit in French.

17 . Subjunctive

18 . Reflexive Verbs

19 . Agreement of Past Participle

DAILY VERBS:

pouvoir, falloir, devoir

Le Dîner chez M. Coquery

Notre jeune étudiant a été invité à dîner par M. Coquery et au cours de sa visite, la conversation suivante s'est engagée.

(*Robert Martin, arrivant chez M. Coquery, sonne à la porte. La domestique le fait entrer.*)

L'ÉTUDIANT. Bonsoir, mademoiselle, pourrais-je voir M. Coquery, je 5
vous prie?

LA DOMESTIQUE. Très certainement. Entrez donc, je vous prie. M. Coquery sera là dans un instant. Qui dois-je annoncer?

L'ÉTUDIANT. Robert Martin.

(*M. Coquery, se doutant que c'est Robert qui vient de sonner, arrive.*) 10

M. COQUERY. Comment allez-vous, mon jeune ami? J'espère que vous ne vous êtes pas perdu dans notre grande ville. Je sais comme il est difficile de s'habituer à nos lignes de métro et d'autobus.

ROBERT. Perdu? Pas tout à fait! Mais j'aurais voulu que vous me voyiez à la correspondance Denfert-Rochereau. Je n'aurais jamais 15
cru que le métro parisien soit aussi embrouillé que celui de New-York. J'ai perdu là de précieuses minutes, ce qui, je l'espère, excusera mon retard de ce soir.

M. COQUERY. Pensez donc! Cela n'a aucune importance, mais dites-moi plutôt comment se passent vos premières journées. 20

ROBERT. Je dois avouer que tout s'arrange pour le mieux et je vous assure que je n'ai jamais fait autant de choses en si peu de temps. Me voilà maintenant bien installé à la Cité Universitaire et je n'ai plus qu'à me familiariser avec la vie de Paris et à profiter au mieux des quelques semaines de liberté qui me restent avant de 25
m'inscrire aux cours de la Sorbonne.

43

Les quais de la Seine où les bouquinistes vendent de vieilles éditions à des prix quelquefois étonnants. (*French Government Tourist Office*)

M. COQUERY. Parfait! Parfait! Je souhaite que vous puissiez, à la fois, entreprendre de bonnes études et jouir de nos multiples distractions parisiennes. Mais voilà ma femme. Je crois que le dîner doit être prêt. Chérie, permets-moi de te présenter notre jeune étudiant américain, monsieur Robert Martin, qui sera Parisien 5 pour cette année.

MME COQUERY. Enchantée, monsieur.

ROBERT. Mes hommages, madame.

MME COQUERY. Je suis navrée que mon fils Pierre ne soit pas là ce soir, mais il a dû s'absenter pour une réunion importante et ne 10 rentrera que très tard. Maintenant, voulez-vous que nous passions à table?

ROBERT. Très volontiers, madame.

M. COQUERY (*malicieusement*). Croyez-vous que je puisse vous servir de nos fameux vins de France ou aimeriez-vous mieux quelques 15 grands verres de lait?

MME COQUERY (*à son mari*). Mon cher, Robert est maintenant un étudiant français qui se doit de connaître tous les secrets de notre vie quotidienne et nos bourgognes font partie du mystère.

ROBERT. Je suis ravi que vous preniez ma défense, madame, car 20 l'idée d'un verre de lait ne m'enchanterait guère!!

* * *

Après le dîner, M. Coquery fit visiter son appartement à notre jeune ami qui s'extasia devant la riche bibliothèque de son hôte.

ROBERT. Croyez-vous qu'il soit encore possible de trouver une aussi vieille édition des œuvres complètes de vos classiques? Celle-ci 25 est magnifique et la reliure est très artistique.

M. COQUERY. Pour que vous puissiez dénicher de tels livres, il faudrait que vous alliez un jour flâner le long des quais de la Seine où les bouquinistes vendent de vieilles éditions à des prix quelquefois étonnants. Il se peut que vous trouviez des volumes semblables 30 à ceux-ci.

ROBERT. C'est ça. Il faudra certainement que j'y aille.

M. COQUERY. A propos, je veux vous proposer la chose suivante. Je voudrais que vous puissiez quitter Paris pour quelques jours et descendre à Lourdes dans le Sud-Ouest de la France. Le pèlerinage 35 du 15 août à l'occasion de l'Assomption attire toujours une foule immense. C'est une fête pittoresque qui devrait vous laisser d'inoubliables souvenirs. Vous aurez aussi l'occasion de visiter de très jolis coins de France où l'Histoire a laissé des empreintes profondes. 40

ROBERT. Voilà une excellente proposition qu'il me sera très facile de mettre à exécution car mes cours ne commencent pas avant la fin septembre.

Là-dessus Monsieur et Madame Coquery et Robert s'installent au salon pour écouter la retransmission d'un concert donné par l'Association des Concerts du Conservatoire, au Théâtre des Champs-Élysées. Quelle ne fut pas la surprise de Robert de reconnaître les premières
5 mesures d'*Un Américain à Paris.* « Je suis ravi que vous ayez su reconnaître Gershwin », ajouta malicieusement M. Coquery.

CHOIX D'EXPRESSIONS

à propos	by the way
comment allez-vous?	how are you?
je vais très bien	I am very well
au cours de	in the course of
se douter (de)	to suspect
faire + *inf.*	to have or cause a thing to be done
le long de	along
mettre à exécution	to carry out
au mieux	as best one can
se passer	to take place, happen; be spent
pensez donc!	the very idea!
je vous prie	please
tout à fait	quite, completely
venir de + *inf.*	to have just + *p.p.*

CHOIX D'EXERCICES I

I. Composition orale. En s'inspirant du texte, l'étudiant se préparera à dire quelques mots sur chacun des sujets suivants :

1. L'arrivée de Robert chez M. Coquery; la raison de sa visite.
2. La conversation avec la domestique.
3. L'accueil fait à Robert par M. Coquery.
4. Le retard de Robert; les excuses; le métro.
5. Les premières journées de Robert: tout s'arrange; installation à la Cité Universitaire; les quelques semaines de liberté.
6. Les souhaits de M. Coquery: les études, les distractions.
7. L'arrivée de Mme Coquery: la présentation, la politesse.
8. Pierre est absent: la raison de son absence.
9. Le vin ou le lait: Robert est un étudiant français.
10. La visite de l'appartement: la bibliothèque, les classiques français.
11. Les bouquinistes sur les quais de la Seine.
12. La proposition de M. Coquery: Lourdes, le 15 août, les avantages d'un tel voyage; la réponse de Robert.
13. Au salon; la musique de Gershwin.

II. Se préparer à traduire en anglais les phrases suivantes: 1. La domestique le fait entrer. 2. M. Coquery, se doutant que c'est Robert qui vient de sonner, arrive. 3. Je n'aurais jamais cru que le métro parisien soit aussi embrouillé que celui de New-York. 4. Je dois avouer que tout s'arrange pour le mieux. 5. Il a dû s'absenter pour une réunion importante. 6. Je suis ravi que vous preniez ma défense, madame, car l'idée d'un verre de lait ne m'enchanterait guère! 7. Croyez-vous qu'il soit encore possible de trouver une aussi vieille édition des œuvres complètes de vos classiques? 8. Pour que vous puissiez dénicher de tels livres, il faudrait que vous alliez flâner le long des quais de la Seine. 9. C'est une fête pittoresque qui devrait vous laisser d'inoubliables souvenirs. 10. « Je suis ravi que vous ayez su reconnaître Gershwin », ajouta malicieusement M. Coquery.

III. A l'aide du texte, donner l'équivalent des expressions et des mots suivants:

1. pendant sa visite
2. la conversation suivante a eu lieu
3. me serait-il possible de . . .
4. entièrement
5. Je ne me serais jamais imaginé que . . .

6. Cela ne fait rien
7. en même temps
8. revenu à la maison
9. Préférer
10. Il est possible que . . .

MISE AU POINT GRAMMATICALE

17. Subjunctive

A. General principle

The subjunctive mood is rarely used in a principal clause. It is generally found in a dependent clause [1] to express an idea of uncertainty or lack of reality. The action expressed by the verb in the subjunctive mood remains in the state of an idea. It does not assert a fact. The indicative, on the contrary, occurs continually in principal as well as in dependent clauses. It implies certainty in the mind of the speaker and expresses fact.

B. Formation of the present subjunctive

1. Regular:

THIRD PL. PRES. IND.	PRESENT SUBJUNCTIVE
ils parlent	parl–e, –es, –e, –ions, –iez, –ent
ils finissent	finiss–e, –es, –e, –ions, –iez, –ent
ils répondent	répond–e, –es, –e, –ions, –iez, –ent

[1] For a discussion of the subjunctive in the principal clause, see page 66.

Note. The present subjunctive (*le subjonctif présent*) is regularly formed by dropping the ending –**ent** of the third plural of the present indicative and adding the endings –**e, –es, –e, –ions, –iez, –ent.**

2. Verbs phonetically affected:

A phonetically affected verb is one in which the stem of the present indicative changes because of the shift of stress. The rhythm is four strong and two weak, as in the verb **recevoir,** *to receive:*

PRESENT INDICATIVE

Strong	*Weak*
je reçois	nous recevons
tu reçois	vous recevez
il reçoit	
ils reçoivent	

Verbs phonetically affected start the formation of the present subjunctive from the same stem as regular verbs but shift the stem, using the same four and two rhythm as in the present indicative:

PRESENT SUBJUNCTIVE

Strong	*Weak*
(que) je **reçoive**	(que) nous **recevions**
tu **reçoives**	vous **receviez**
il **reçoive**	
ils **reçoivent**	

INFIN.	PRES. IND.	PRESENT SUBJUNCTIVE	
voir	ils voient	je voie	nous voyions
venir	ils viennent	je vienne	nous venions
devoir	ils doivent	je doive	nous devions
boire	ils boivent	je boive	nous buvions
prendre	ils prennent	je prenne	nous prenions
mourir	ils meurent	je meure	nous mourions
appeler	ils appellent	j'appelle	nous appelions
lever	ils lèvent	je lève	nous levions
jeter	ils jettent	je jette	nous jetions

3. Irregular verbs:

(*a*) Phonetically affected

INFIN.	PRESENT SUBJUNCTIVE
avoir	aie, aies, ait, ayons, ayez, aient
être	sois, sois, soit, soyons, soyez, soient
aller	aille, ailles, aille, allions, alliez, aillent
valoir	vaille, vailles, vaille, valions, valiez, vaillent
vouloir	veuille, veuilles, veuille, voulions, vouliez, veuillent

(*b*) Completely irregular

INFIN.	PRESENT SUBJUNCTIVE
faire	fasse, fasses, fasse, fassions, fassiez, fassent
pouvoir	puisse, puisses, puisse, puissions, puissiez, puissent
savoir	sache, saches, sache, sachions, sachiez, sachent

C. Dependent clause in place of the infinitive

1. Infinitive:

J'espère pouvoir faire ce voyage.	I hope I can take this trip.
François pense profiter beaucoup d'une année en France.	Francis thinks he will get a lot out of a year in France.

Note. In the above examples the subject of the main verb is the same as the subject of the infinitive.

2. Dependent clause introduced by **que:**

Son professeur pense que François devrait faire ce voyage.	His professor thinks that Francis should take this trip.
Son père croit que François pourra profiter beaucoup de cette année.	His father believes that Francis will be able to get a lot out of this year.

Note. **Que** is generally required to introduce a subordinate clause when the second verb of the sentence has a subject different from that of the first.

D. Use of the subjunctive in dependent clauses

1. (*a*) After verbs and expressions indicating uncertainty, doubt, necessity, a lack of reality, or non-fact:

Il se peut que vous **trouviez** des volumes semblables à ceux-ci.	It is possible that you may find volumes similar to these. (*not certain*)
Je doute qu'il **fasse** beau demain.	I doubt that the weather will be good tomorrow. (*doubt*)
Il faut que j'**aille** voir le dentiste.	I must go and see the dentist. (*But do I?*)
Il faudra que j'y **aille.**	I shall have to go there. (*But do I?*)
Il est temps que je **parte.**	It is time I should leave. (*But do I?*)

Note. After such verbs and expressions the subjunctive must be used in the dependent clause to express uncertainty in the mind of the speaker.

Common impersonals: il est nécessaire (bon, important, préférable, possible. convenable, impossible, utile), il importe, etc.

(b) Uncertainty implied by a question or a negation:

IND.	Je crois qu'il réussira.	I think he will succeed. (*I'm convinced.*)
SUBJ.	Je ne crois pas qu'il **réussisse.**	I don't think he will succeed. (*But he might.*)
IND.	J'espère qu'elle viendra nous rendre visite.	I hope she will come to visit us. (*I expect that she will.*)
SUBJ.	Espérez-vous qu'elle **vienne** vous rendre visite?	Do you hope she will come to visit you? (*I'm not sure.*)
IND.	Il est certain qu'elle est morte.	It is certain that she is dead. (*Certainty.*)
SUBJ.	Est-il certain qu'elle **soit** morte?	Is it certain that she is dead? (*Doubt.*)

Note. After such verbs as **penser, croire, espérer, il me semble,**[1] **il est vrai (sûr, certain, évident, clair,** etc.), an idea of uncertainty may enter by way of a question or negation.

2. After verbs expressing the idea of will (insisting, commanding, permitting, forbidding, etc.) or wishing:

Je souhaite que vous **puissiez** jouir de nos multiples distractions parisiennes.	It is my wish that you may take advantage of our many different diversions in Paris.
Je voudrais que vous **puissiez** quitter Paris pour quelques jours.	I should like you to be able to leave Paris for a few days.

Note. After such verbs there is an idea of unreality since the subjunctive does not assert that the action is actually accomplished.

Some examples of expressions of will or wishing are: aimer, aimer mieux, consentir, convenir, avoir envie, défendre, demander, désirer, empêcher, éviter, exiger, ordonner, permettre, préférer, prendre garde, prier, souhaiter, supplier, il me tarde, vouloir, etc.

3. After verbs and expressions of emotion (joy, sorrow, surprise, anger, fear, shame):

Je suis ravi que vous **preniez** ma défense.	I am delighted that you are defending me.
Je suis navrée que mon fils Pierre ne **soit** pas là ce soir.	I am very sorry that my son Peter is not here this evening.

---

[1] **Il semble,** however, is regularly followed by the subjunctive in a subordinate clause.

Some examples of expressions of emotion are: craindre, désespérer, s'étonner, se plaindre, redouter, regretter, se réjouir, avoir crainte (honte, peur), être affligé (bien aise, charmé, content, désolé, étonné, fâché, heureux, joyeux, mécontent, surpris, triste, etc . . .), c'est dommage, il est étonnant . . .

4. After verbs and expressions of judgment or opinion:

J'approuve qu'il **soit** mis en liberté.	I approve of his being set free.
Il vaut mieux que nous nous en **allions** tout de suite.	It is better that we leave at once.

Examples of such expressions are: approuver, valoir mieux, trouver bon (mauvais), juger, être d'avis, mériter, il convient (*it is fitting*).

Remark. Until further notice, the student would do well to observe that a dependent clause containing the subjunctive is nearly always introduced by **que** or **qui**. The subjunctive may be used after **si** only in literary style.

18. Reflexive verbs are conjugated like the following model:

INFINITIVES		PARTICIPLES	
PRESENT	se lever	PRESENT	se levant
	(*to rise*)		(*rising*)
PERFECT	s'être levé(e)(s)	PERFECT	s'étant levé(e)(s)
	(*to have risen*)		(*having risen*)

PRESENT INDICATIVE

je me lève	nous nous levons
tu te lèves	vous vous levez
il (elle) se lève	ils se lèvent

PRESENT PERFECT

je me suis levé(e)	nous nous sommes levé(e)s
tu t'es levé(e)	vous vous êtes levé(e)(s)
il (elle) s'est levé(e)	ils (elles) se sont levé(e)s

IMPERFECT	je me levais	PAST DEFINITE	je me levai
FUTURE	je me lèverai	CONDITIONAL	je me lèverais
PRES. SUBJ.	(que) je me lève	PAST PERF.	je m'étais levé(e)
FUTURE PERF.	je me serai levé(e)	IMPERATIVE	lève-toi, levons-nous, levez-vous

Note. The compound tenses of all reflexive verbs are formed with **être** plus the past participle.

Les cartes postales **se vendent** ici.   Postal cards are sold here.

Note. The English passive is frequently translated by a reflexive verb to express an action which is being accomplished.

19. Agreement of Past Participle — Summary

A. The past participles of verbs in the passive voice, or of intransitives with **être**, agree with the subject of the verb in gender and number:

Ils ont été **tués.**	They were killed.
Elles sont **sorties.**	They went out.

B. The past participles of verbs conjugated with **avoir** and the past participles of all reflexive verbs (always conjugated with **être**) are invariable unless the direct object precedes them, in which case they agree with this direct object in gender and number:

Avez-vous acheté la fleur?	Did you buy the flower?
Oui, je l'ai **achetée.**	Yes, I bought it.
Elles se (*dir. obj.*) sont **rencontrées,** mais elles ne se (*ind. obj.*) sont pas **parlé.**	They met each other, but they did not speak to each other.
Elle s'est **habillée** (*dir. obj.*).	She dressed herself.
Elle s'est **lavé** les mains (*ind. obj.*).	She washed her hands.

Exception 1. The past participle does not agree with the pronoun **en:**

Avez-vous vu des choses intéressantes au Louvre?	Did you see some interesting things at the Louvre?
J'en ai **vu** beaucoup.	I saw many.

Exception 2. The past participle of **faire** is invariable when followed by an infinitive:

Il les a **fait** venir.	He sent for them.

DAILY VERBS

pouvoir   pouvant   pu   peux (puis)   pus
  (*be able*)
pourrai   pouvais   avoir pu   pusse
pourrais   PRES. IND.   peux (puis), peux, peut, pouvons, pouvez, peuvent
           PRES. SUBJ.   puisse, puisses, puisse, puissions, puissiez, puissent

(Imperative lacking because of meaning of the verb.)

falloir   fallu   il faut   il fallut
  (*be necessary, must*)
il faudra   il fallait   avoir fallu   il fallût
il faudrait   PRES. IND.   il faut
           PRES. SUBJ.   il faille

(Imperative lacking because of meaning of the verb.)

Note. **Falloir** expresses the idea of necessity or obligation imposed upon the speaker regardless of his feelings. With **devoir** the influence usually comes from within; with **falloir** it is from without. **Falloir** is used only in the third person singular.

devoir	devant	dû [1]	dois	dus
(owe, ought)				
devrai	devais	avoir dû		dusse
devrais	PRES. IND.	dois, dois, doit, devons, devez, doivent		
	PRES. SUBJ.	doive, doives, doive, devions, deviez, doivent		

(Imperative lacking because of meaning of the verb.)

Note. When the speaker wishes to express a feeling of duty or obligation, he uses **devoir**. When **devoir** is used as a semiauxiliary before an infinitive, it expresses also what is likely and probable.

Uses of **devoir**, *to owe, ought, be, must* [2]

Il me doit dix francs.	He owes me ten francs.
Il doit venir ce soir.	He is to come this evening.
Il doit être malade.	He must be ill.
Il devait venir hier.	He was to come yesterday.
Il a dû être malade.	He must have been ill.
Il a dû attendre.	He had to wait.
Il devrait me payer.	He ought to pay me.
Il aurait dû me payer.	He ought to have paid me.

CHOIX D'EXERCICES II

Exercices sur les verbes *pouvoir, falloir, devoir*

I. Remplacer l'infinitif en italique par la forme convenable du verbe et traduire la phrase en anglais

(*a*) au présent:

1. Je ne *pouvoir* pas comprendre ce qu'il *falloir* faire. 2. Ils *pouvoir* nous aider en venant travailler avec nous. 3. Où *pouvoir*-on dénicher de tels livres? 4. On *devoir* défendre sa patrie 5. Que *devoir*-vous faire si vous arrivez en retard? 6. Ils *devoir* venir dîner ce soir. 7. Vous *devoir* aller voir *Cyrano de Bergerac*.

(*b*) au passé composé:

1. Je ne *pouvoir* pas arriver à l'heure. 2. Son fils *devoir* s'absenter pour une réunion importante. 3. Il *falloir* que je me débrouille tout seul.

---

[1] *f.* **due;** *pl.* **du(e)s.**   [2] Supposition.

(*c*) au futur:

1. A l'avenir il *falloir* faire attention quand vous *sortir*. 2. Je *devoir* mieux faire mes devoirs. 3. *Pouvoir*-vous m'arranger une interview avec le ministre de l'Éducation Nationale?

(*d*) au conditionnel présent:

1. Robert *devoir* savoir s'en tirer à Paris. 2. Son professeur lui a dit qu'il *falloir* faire très attention aux automobiles à Paris.

(*e*) au subjonctif présent:

1. Croyez-vous que je *pouvoir* vous servir de nos fameux vins de France? 2. Pour que vous *pouvoir* dénicher de tels livres,... 3. Que pensez-vous que je *devoir* répondre à cette demande?

II. Thème sur les verbes

1. Could I see Mr. Coquery? 2. Robert has to take the subway to go to Mr. Coquery's house. 3. Since Robert was late, he had to make excuses (*s'excuser*). 4. It will be necessary for (*que*) Robert to be able to get along in the subway. 5. Robert ought to take advantage of the many different diversions in Paris. 6. Robert ought to have phoned Mr. Coquery as soon as he arrived. 7. American students in Paris owe it to themselves to get acquainted with Parisian life. 8. I must go and see the dentist. 9. He wasn't able to find the house. 10. Do you think Robert can make himself understood?

Exercices de grammaire

I. Remplacer l'infinitif en italique par la forme convenable du verbe:

1. Il faudra que Robert *faire* de bonnes études à Paris s'il *vouloir* faire plaisir à son oncle. 2. Il est temps qu'il *écrire* à son professeur. 3. Il se peut qu'il ne *savoir* pas s'en tirer dans le métro. 4. Je suis sûr que Robert *savoir* s'en tirer parce qu'il est très intelligent. 5. Mme Coquery espère que Robert *arriver* à l'heure. 6. Je doute que l'on *pouvoir* trouver une aussi vieille édition des classiques français. 7. Croyez-vous que Robert *aller* au bal tous les soirs? 8. Je ne pense pas qu'il *vouloir* le faire. 9. Que voulez-vous que je *voir* à Paris? 10. M. Coquery désire que Robert *venir* passer la soirée dès qu'il le *pouvoir*. 11. Mme Coquery est navrée que son fils *avoir* un rendez-vous important. 12. Robert est content que Mme Coquery *prendre* sa défense. 13. Il vaut mieux que nous *recevoir* une bonne éducation avant de nous lancer dans les affaires. 14. Il me semble que Robert *avoir* une année très enrichissante. 15. Son oncle voudrait que Robert *faire* la connaissance du général Desbareau.

II. Thème sur les verbes réfléchis

1. Marie had a good time dancing. 2. She looked in the mirror. 3. She looked tired. 4. She went to bed. 5. She didn't go to sleep right away. 6. She awoke at 7 o'clock. 7. She didn't get up at once. It was cold in the room. 8. She washed her hands and combed her hair. 9. She got dressed and went down to breakfast. 10. She sat down at the table.

III. Remplacer l'infinitif en italique par la forme convenable du participe passé:

1. M. Coquery se rappelle bien les personnes qu'il a *rencontrer* aux États-Unis. 2. Après s'être *promener* au Quartier Latin, Robert et ses amis sont *rentrer* à la Cité Universitaire. 3. Les études de français que Robert a *faire* aux États-Unis vont l'aider à se tirer d'affaire en France. 4. Antoinette est *tomber* mais heureusement elle ne s'est pas *faire* mal. 5. Regardez ces beaux livres. Je les ai *faire* venir de Paris. 6. Que de bonnes choses ils m'ont *servir*. J'en ai trop *manger*. 7. Ils ne se sont *rencontrer* qu'une seule fois, mais ils se sont *écrire* beaucoup de lettres. 8. Jeanne d'Arc est *naître* à Domremy. Elle est *mourir* à Rouen.

IV. Thème grammatical

1. I should like to take a trip to Paris. 2. Do you think I can leave this summer? 3. It is better for (*que*) you to spend another year (*à*) studying the French language. 4. It may be that my uncle will come and help me. 5. The things he saw in France impressed him greatly. 6. Robert does not suspect that his uncle intends to help him (*à*) spend a year at the Sorbonne. 7. His uncle remembered with pleasure all he saw during his stay in France. 8. I should like (*que*) you to be in Marseilles when the cyclists of the Tour de France pass by. 9. Mr. Coquery thinks it fitting (*convenir*) that Robert [go] spend a few weeks in the South of France. 10. Mr. Coquery is delighted that Robert is willing to take his advice.

Thème d'imitation (facultatif)

1. For a half hour we had been waiting for our friends, the Martins,[1] whom we had invited to dinner, when suddenly my wife, all excited, exclaimed: 2. "I wonder what (*ce qui*) is going on. A half hour late! I would never have believed that our friends the Martins would be so impolite. Dinner is ready to serve. It may be spoiled.[2] What do you want (*que*) us to do?" 3 Just at that moment we heard the doorbell ring. I suspected that it was the Martins. 4. As the maid

---

[1] **Les Martin;** no plural for family names.　　　[2] **Il se peut . . .**

couldn't leave the kitchen at that moment, I had to [go] let them in. 5. They excused themselves for (de) having arrived late, saying that they had taken the wrong train[1] at the Denfert-Rochereau station of the subway. "We hope we haven't inconvenienced you." 6. I replied: "The very idea! It makes no difference. Please come in. How are you?" "We are very well, thank you," replied the Martins. 7. "I am sorry that Mrs. Coquery is not here at the moment. She has just gone to the kitchen to say a word to the maid. Ah, here she is!" 8. (Mrs. Coquery) "How glad I am to see you! I just said to my husband: 'I am afraid that there may be a misunderstanding.' But all is well that ends well." 9. In the course of the conversation, Mrs. Coquery said: "By the way, are you quite satisfied with your hotel?" 10. Mr. Martin replied: "We must find another hotel. Our rooms are already reserved for other guests. I am sorry this is necessary. It is not possible for (que) us to leave without enjoying the many different diversions that Paris offers."

[1] se tromper de correspondance.

20 . Past Definite

21 . Present Perfect Subjunctive

22 . Imperfect Subjunctive

23 . Subjunctive in Adjectival Clauses

24 . Subjunctive in Adverbial Clauses

25 . Subjunctive — Sequence of Tenses

26 . Subjunctive in Principal Clauses

DAILY VERBS:

envoyer, prendre, dormir

Notre-Dame de Lourdes

Mon cher Maître,

Je m'en veux d'avoir tant tardé à répondre à votre aimable lettre, mais je me suis absenté de Paris pendant une quinzaine et je viens de rentrer.

Vous vous rappelez, n'est-ce pas, que M. Coquery a eu l'amabilité 5 de proposer que je fasse un voyage à Lourdes à l'occasion du 15 août. Espérant voir quelque chose qui sorte nettement de l'ordinaire, j'ai pris le parti de suivre ses conseils. Afin que vous puissiez vous faire une idée de la scène, à la fois impressionnante et inoubliable, qui s'est déroulée à Lourdes devant mes yeux, je me permets de vous 10 envoyer un compte-rendu de ma visite, extrait de mon journal. Croyez, mon cher Maître, à l'expression de mes sentiments respectueusement reconnaissants.

Robert Martin

Une fête dans les Basses-Pyrénées.

(French Government Tourist Office)

Notre-Dame de Lourdes.

A Lourdes

Depuis longtemps notre train électrique, comme d'ailleurs le sont tous ceux du Chemin de Fer du Midi, serpentait entre de petites montagnes, s'approchant peu à peu des Pyrénées qu'on apercevait déjà au loin. Enfin il s'arrêta à la gare de Lourdes. Je me sentis transporté d'emblée dans un autre monde. La foule des pèlerins 5 venus de tous les pays de l'Europe, parlant les langues les plus diverses, portant les costumes les plus variés, envahissait la petite gare. Partout on voyait des prêtres, des malades, des infirmières, des civières, des voiturettes, que sais-je encore?

Bien que les pèlerins soient venus d'un peu partout, la même 10 ardeur religieuse semblait les posséder tous et inspirer toutes leurs actions.

En traversant la petite ville je ne vis que des hôtels et des boutiques. Celles-ci étalaient à leur devanture une infinité d'objets et de souvenirs religieux. Une seule pensée occupait toute la ville, « la foi 15 religieuse ». Passé le gave de Pau, je vis se dresser devant moi un spectacle à la fois pittoresque, grandiose et impressionnant. Il y avait d'abord une pelouse immense de forme ovale, protégée par une palissade en fer et entourée d'une allée. Au bout de cette pelouse, je vis s'élever devant moi l'imposante basilique à deux étages bâtie 20 sur un énorme rocher, laquelle se trouve au centre d'un croissant dont chaque bras forme une rampe. Les deux rampes se joignent sur une plate-forme au premier étage, c'est-à-dire juste au-dessus de la chapelle du rez-de-chaussée, formant ainsi une promenade en demi-cercle par où on peut monter à la chapelle du premier étage et 25 puis descendre de l'autre côté.

C'était l'heure crépusculaire. Le soleil venait de disparaître derrière les Pyrénées. Comme si elle n'attendait que ce signal, la procession commença. De derrière la basilique où se trouve la grotte sacrée, les pèlerins s'avancèrent, des cierges à la main, chantant un 30 cantique à la Sainte-Vierge. Tout à coup, la façade de la basilique s'éclaira, inondant de lumière les deux belles flèches. En même temps, une immense croix, placée tout là-haut dans les montagnes, s'illumina. Mais les pèlerins s'avançaient toujours. Peu à peu, ils montèrent, traversèrent la plate-forme devant la chapelle du premier 35 étage et descendirent de l'autre côté. Alors, au nombre de dix mille, ils firent le tour de la vaste pelouse. On aurait dit une rivière de diamants. Enfin, ils revinrent et se groupèrent devant la terrasse de la basilique pour unir, en un chœur puissant et magnifique, les voix qui auparavant s'étaient dispersées en petits groupes isolés, 40 chantant à leur gré.

Ce soir-là, comme pour donner l'approbation du Ciel, la lune vint

se poser juste au-dessus de la croix illuminée dans la montagne. Il y avait devant la pelouse, face à la basilique, une statue de la Sainte-Vierge, illuminée également. Tout conspirait pour faire une scène éclatante de lumière et de beauté. On sentait passer dans cette foule
5 « un de ces grands courants de sympathie dont nous soupçonnons à peine la nature ». A le sentir, je ne m'étonnais point qu'il se fasse ici des miracles.

Alors, je me suis rendu derrière la basilique devant la grotte d'où sortent les eaux miraculeuses. Nuit et jour, elle est illuminée par
10 des milliers de cierges. Quoique ce soit, d'habitude, le matin qu'on y amène les malades, il y en avait même à cette heure qui attendaient la visite du Saint-Esprit. On pouvait les entendre prier: « Seigneur, faites que je voie; Seigneur, faites que j'entende; Seigneur, faites que je marche ».
15 C'était vraiment touchant. J'en suis parti tout ému, cherchant à comprendre cette scène qui est, peut-être, la plus étrange qui soit au monde. De mon côté, c'est sans aucun doute la scène la plus émouvante que j'aie jamais vue. Qui que vous soyez, souvenez-vous-en! Un pèlerinage à Lourdes, ce n'est pas à manquer. Plaise à
20 Dieu que je puisse y revenir un jour.

CHOIX D'EXPRESSIONS

de l'autre côté	on the other side
de (mon) côté	for (my) part
d'emblée	at once, right away
faire un voyage	to take a trip
se faire une idée	to get an idea
à leur gré	as they pleased, according to their wishes
d'habitude	usually, ordinarily
à la main	in one's hand
plaise à Dieu	would to God, God grant
à peine	scarcely, hardly
peu à peu	little by little
prendre le parti de + *inf.*	to decide to
sortir de l'ordinaire	to be unusual
tout à coup	suddenly
venait de + *inf.*	had just + *p.p.*
en vouloir à	to be annoyed with, to bear ill will toward

CHOIX D'EXERCICES I

I. Composition orale

1. Les excuses de Robert, son absence de Paris, le but de son voyage, ce qu'il envoie à son professeur, pourquoi.

2. Lourdes:

(a) la situation géographique, les moyens de transport, les Pyrénées.

(b) l'arrivée à Lourdes, la foule à la gare, les langues, les costumes, l'ardeur religieuse.

(c) la ville, les hôtels, les boutiques, les souvenirs religieux.

(d) le spectacle grandiose, la pelouse, la palissade de fer, la basilique, le site, le croissant, les rampes, le rez-de-chaussée, le premier étage.

(e) la procession: l'heure, le point de départ, les cierges, les cantiques, la lumière, les flèches, la croix, l'itinéraire des pèlerins, le chœur.

(f) la scène: la lune, la croix, la statue, le courant de sympathie.

(g) la scène devant la grotte: les cierges, les malades, les prières.

(h) les sentiments de Robert.

II. Traduire en anglais les phrases suivantes:

1. Je m'en veux d'avoir tant tardé à répondre à votre aimable lettre. 2. Espérant voir quelque chose qui sorte nettement de l'ordinaire, j'ai pris le parti de suivre ses conseils. 3. Afin que vous puissiez vous faire une idée de la scène . . . 4. Bien que les pèlerins soient venus d'un peu partout . . . 5. Tout à coup, la façade de la basilique s'éclaira, innondant de lumière les deux belles flèches. 6. Ils firent le tour de la vaste pelouse. Enfin, ils revinrent et se groupèrent devant la terrasse de la basilique. 7. A le sentir, je ne m'étonnais point qu'il se fasse ici des miracles. 8. Quoique ce soit, d'habitude, le matin qu'on y amène les malades, il y en avait même à cette heure qui attendaient la visite du Saint-Esprit. 9. J'en suis parti, tout ému, cherchant à comprendre cette scène qui est, peut-être, la plus étrange qui soit au monde. 10. De mon côté, c'est sans aucun doute la scène la plus émouvante que j'aie jamais vue.

MISE AU POINT GRAMMATICALE

20. Past Definite

A. Formation

1. In general the past definite tense (*le passé simple*) bears a striking resemblance to the past participle:

	PAST PART.	PAST DEFINITE	
FIRST CONJ.	donné	**donn**	−ai, −as, −a, −âmes, −âtes, −èrent
SECOND CONJ.	choisi	**chois**	−is, −is, −it, −îmes, −îtes, −irent
THIRD CONJ.	perdu	**perd**	−is, −is, −it, −îmes, −îtes, −irent
-*oir* GROUP	reçu	**reç**	−us, −us, −ut, −ûmes, −ûtes, −urent

2. There is a resemblance between the past definite tense and the present participle of five verbs and their group members: **joindre,** etc., **conduire,** etc., **ouvrir,** etc., **écrire,** etc., **vaincre,** etc.

INFIN.	PRES. PART.	PAST DEF.
(a) **joindre,** *to join*	joignant	je joignis, etc.
craindre, *to fear*	craignant	je craignis, etc.
peindre, *to paint*	peignant	je peignis, etc.
etc.		

Note. All verbs ending in **−oindre, −aindre, −eindre.**

(b) **conduire,** *to lead*	conduisant	je conduisis, etc.
construire, *to build*	construisant	je construisis, etc.
etc.		

Note. All verbs ending in **−uire.**

(c) **ouvrir,** *to open*	ouvrant	j'ouvris, etc.
offrir, *to offer*	offrant	j'offris, etc.

(Also: couvrir, *to cover;* souffrir, *to suffer*)

(d) **écrire,** *to write*	écrivant	j'écrivis, etc.

(Also: décrire, *to describe;* souscrire, *to subscribe*, etc.)

(e) **vaincre,** *to conquer*	vainquant	je vainquis, etc.

(Also: convaincre, *to convince*)

Exceptions:

INFIN.	PAST DEF.	INFIN.	PAST DEF.	INFIN.	PAST DEF.
faire	je fis, etc.	voir	je vis, etc.	naître	je naquis, etc.
être	je fus, etc.	venir	je vins, etc.	mourir	je mourus, etc.

B. Use

Louis XVI **mourut** en véritable roi.	Louis XVI died like a real king.
Napoléon **naquit** en Corse.	Napoleon was born in Corsica.

Note. The past definite denotes an action or state completed in past time. It is the narrative or historical past used in literary style, but not in conversation.

21. **Present Perfect Subjunctive**

A. Formation

(que) **j'aie,** etc.
    je sois, etc. $\Big\}$ + past participle (**−é, −i, −u, −s, −t**)
    je me sois, etc.

                    ENDINGS

Note. The present perfect subjunctive (*le subjonctif passé*) is formed by using the present subjunctive of **avoir** or **être** with the past participle of the verb.

B. Use

Je regrette qu'elle **soit partie.**	I'm sorry she has left.
Je ne crois pas qu'il m'**ait reconnue.**	I don't think he recognized me.

Note. The present perfect subjunctive points out an action previous to that asserted by the verb of the principal clause.

22. Imperfect Subjunctive

A. Formation

	FIRST PERSON PAST DEFINITE	IMPERFECT SUBJUNCTIVE
FIRST CONJ.	je donnai	**donna** −sse, −sses, −^t, −ssions, −ssiez, −ssent
SECOND CONJ.	je choisis	**choisi** −sse, −sses, −^t, −ssions, −ssiez, −ssent
THIRD CONJ.	je perdis	**perdi** −sse, −sses, −^t, −ssions, −ssiez, −ssent
-oir GROUP	je reçus	**reçu** −sse, −sses, −^t, −ssions, −ssiez, −ssent

Note. To form the imperfect subjunctive (*l'imparfait du subjonctif*) drop the final letter of the first person of the past definite and add the endings −sse, −sses, −^t, −ssions, −ssiez, −ssent. There are no exceptions.

B. The use of the imperfect subjunctive is discussed in § **25.**

23. Subjunctive in Adjectival Clauses [1]

A. After a superlative idea:

C'est le livre le plus intéressant que j'**aie** jamais **lu.**	It is the most interesting book I have ever read.

Note. When the antecedent contains a superlative or an adjective such as **premier, dernier, seul,** etc., the subjunctive is nearly always used. If, however, it is desired to emphasize a fact beyond a shadow of a doubt, then the indicative is used:

C'est la seule chose qu'il **a dite.**	It is the only thing he said.

[1] Adjectival clauses are those introduced by a relative pronoun and are equivalent to an adjective.

B. After verbs expressing a general negation:

Il n'y a rien qui **puisse** guérir cet homme.	There is nothing that can cure this man.

C. To imply characteristics sought for but not attained:

Je cherche un endroit où je **sois** tranquille.	I am looking for a place where I may be quiet.
Il veut une femme qui **puisse** le rendre heureux.	He wants a wife who can make him happy.

D. With concessive value in compound relative and indefinite clauses (*whoever, whatever;* also *wherever* in adverbial clauses):

Qui que vous **soyez.**	Whoever you may be.
Quoi que ce **soit.**	Whatever it may be. Anything at all.
Où que vous **soyez.**	Wherever you may be.

24. Subjunctive in Adverbial Clauses

A. The subjunctive is used in adverbial clauses after conjunctions of time indicating anticipation, such as **avant que,** *before;* **jusqu'à ce que,** *until;* **en attendant que,** *until:*

Avant que Robert ne **parte** pour Lourdes, M. Coquery lui fournira tous les renseignements nécessaires.	Before Robert leaves for Lourdes, Mr. Coquery will furnish him all the necessary information.

B. It is used after conjunctions of purpose, such as **afin que** and **pour que,** *in order (so) that;* **de crainte que** and **de peur que,** *for fear that;* and **de sorte que,** *so that* (as purpose but not result):

Afin que vous **puissiez** vous faire une idée de cette scène, je me permets de vous envoyer un compte-rendu de ma visite.	In order that you may get an idea of that sight, I am taking the liberty of sending you an account of my visit.

C. It is used after conjunctions of condition and assumption, such as **pourvu que,** *provided that;* **supposé que,** *supposing that;* **à moins que,** *unless,* etc.:

Pourvu que Robert **revienne** à Paris à temps pour le jour des inscriptions, tout ira bien.	Provided that Robert returns to Paris in time for registration day, all will be well.

D. It is used after conjunctions of concession, such as **quoique, bien que, malgré que, encore que,** all meaning *although;* **soit que . . . soit (ou) que,** *whether . . . or:*

Quoique ce **soit,** d'habitude, le matin qu'on y amène les malades, il y en avait même à cette heure-là.	Although it is, customarily, in the morning that they bring the patients there, there were some there even at that hour.

E. It is used after conjunctions of negation, such as **non que, non pas que,** *not that;* **sans que,** *without;* **loin que,** *far from:*

L'heure crépusculaire s'avance, sans qu'on (ne) l'**aperçoive.**	The twilight hour advances, without being noticed.

Remark. **Ne,** as well as the subjunctive, is commonly used after **craindre,** *to fear;* **trembler,** *to tremble, fear;* **avoir peur,** *be afraid;* **empêcher,** *prevent;* **prendre garde,** *take care;* **de crainte que,** *for fear that;* **à moins que,** *unless;* and sometimes **sans que,** *without;* and **avant que,** *before.* The decree of the minister of National Education (1901) tolerates the omission of this **ne,** but it is still found in the works of the best writers.

J'ai peur qu'il **ne** soit mort.	I am afraid he is dead.
Prenez garde que vous **ne** tombiez.	Take care lest you fall.

25. Subjunctive — Sequence of Tenses

A. 1. Present and future tenses in the principal clause require the dependent verb (or the auxiliary in compound tenses) to be in the present subjunctive:

Je **doute**	qu'il le **fasse.**	I doubt	that he is doing (will do) it.
Je **douterai**	qu'il l'**ait** fait.	I shall doubt	that he did (has done) it.

2. When any other tense occurs in the principal clause, the dependent verb (or the auxiliary in a compound tense) is in the imperfect subjunctive *in literary style.* In practice, however, the use of the imperfect subjunctive is restricted to the third person and is becoming increasingly rare in the spoken language. In ordinary speech and informal writing the present subjunctive is commonly used for the imperfect subjunctive.

LITERARY STYLE

Je **doutais**		I used to doubt	
Je **doutai**		I doubted	that he was doing (would do) it.
Je **douterais**	qu'il le **fît.**	I should doubt	
J'ai **douté**	qu'il l'**eût** fait.	I have doubted	
J'avais **douté**		I had doubted	that he had done it.
J'aurais **douté**		I should have doubted	

CONVERSATIONAL STYLE AND INFORMAL WRITING

Je ne **m'étonnais** point qu'il se **fasse** ici des miracles.	I was not surprised that miracles were performed here.
Je **voudrais** que vous **puissiez** quitter Paris pour quelques jours.	I wish you could leave Paris for a few days.
Je n'**aurais** jamais **cru** que le métro parisien **soit** aussi embrouillé que celui de New-York.	I'd never have believed that the Paris subway was as confusing as the one in New York.

B. In general, when the action described by the dependent verb occurs at the same time as or subsequent to that of the governing verb, a simple tense of the subjunctive is used. When the action described by the dependent verb is previous to that of the governing verb, a compound tense of the subjunctive is used.

Je **doute** qu'il le **fasse.**	I doubt that he is doing (will do) it.
Je **doute** qu'il l'**ait fait.**	I doubt that he did it.
Je **doutais** qu'il le **fît.**	I doubted that he was doing (would do) it.
Je **doutais** qu'il l'**eût fait.**	I doubted that he had done it.

Note. The imperfect and pluperfect tenses of the subjunctive have almost disappeared from ordinary speech and informal writing. The present and the present perfect have replaced them, as the case requires.

26. Subjunctive in Principal Clauses

The subjunctive in principal clauses is used in optative expressions (wishes), in concessive or conditional expressions, in expressions such as **je ne sache,** *I do not know,* **pas que je sache,** *not that I know of,* and to represent the third person of the imperative:

Vive la France!	Long live France!
Plaise à Dieu!	Would to God! God grant!
A Dieu ne plaise!	God forbid!
Ainsi soit-il!	So be it!
Sauve qui peut!	Every man for himself! (Let him save himself who can!)
Fussiez-vous le roi lui-même!	Were you the king himself!
Je ne sache rien de mieux.	I know nothing better.
Qu'il s'en aille tout de suite.	Let him go away at once!
Soit!	So be it!
Vogue la galère!	Come what may! (Let the ship sail along!)
Pas que je sache.	Not so far as I know.

DAILY VERBS

envoyer	envoyant	envoyé	envoie	envoyai
(*send*)				
enverrai	envoyais	avoir envoyé		envoyasse
enverrais	PRES. IND.	envoie, envoies, envoie, envoyons, envoyez, envoient

| | PRES. SUBJ. | envoie, envoies, envoie, envoyions, envoyiez, envoient |

(**renvoyer**, *send away*)

prendre	prenant	pris	prends	pris
(*take*)				
prendrai	prenais	avoir pris		prisse
prendrais	PRES. IND.	prends, prends, prend, prenons, prenez, prennent

| | PRES. SUBJ. | prenne, prennes, prenne, prenions, preniez, prennent |

(**apprendre**, *learn;* **comprendre**, *understand;* **entreprendre**, *undertake;* **surprendre**, *surprise*)

dormir	dormant	dormi	dors	dormis
(*sleep*)				
dormirai	dormais	avoir dormi		dormisse
dormirais	PRES. IND.	dors, dors, dort, dormons, dormez, dorment

| | PRES. SUBJ. | dorme, dormes, dorme, dormions, dormiez, dorment |

(**s'endormir**, *go to sleep;* **se rendormir**, *go to sleep again;* **mentir**, *lie;* **sentir**, *feel;* **partir**, *depart;* **servir**, *serve;* **sortir**, *go out.*)

CHOIX D'EXERCICES II

Exercices sur les verbes *envoyer, prendre, dormir*

I. Remplacer l'infinitif en italique par la forme convenable du verbe et traduire la phrase en anglais

(*a*) au présent:

1. Il sait que je *envoyer* chercher des provisions.   2. A qui *envoyer*-vous ces cartes postales?   3. Ils *envoyer* chercher le maître d'hôtel.
4. On *prendre* un train électrique pour aller à Lourdes.   5. Les étudiants *prendre* leurs repas à la Maison Internationale.   6. *Comprendre*-vous ce qu'il dit?   7. On *dormir* dans la chambre à coucher.
8. Les malades *sortir* de bonne heure.   9. Je ne me *sentir* pas bien.
10. Nous *partir* tout de suite.

(*b*) au passé composé:

1. Il *prendre* le parti de suivre ses conseils. 2. On *envoyer* chercher le médecin. 3. Nous ne *dormir* pas pendant deux jours. 4. Elle *sortir* faire un tour au Quartier Latin. 5. Ils *partir* pour la France hier.

(*c*) au passé simple:

1. On *envoyer* Napoléon en Italie. 2. Napoléon *prendre* le parti d'aller en Égypte. 3. Il *partir* avec son armée. 4. Ses soldats *dormir* au pied des Pyramides. 5. Ils *envoyer* chercher de l'eau.

(*d*) au futur:

1. Robert *envoyer* une lettre par semaine à ses parents. 2. Ils *prendre* la liberté de faire voir ces lettres à leurs amis. 3. S'ils ne reçoivent pas de lettres de Robert, ils ne *dormir* pas bien.

(*e*) au subjonctif présent ou passé, selon le cas:

1. J'ai peur qu'ils ne *partir* déjà. 2. Il faut que nous *envoyer* des nouvelles à notre professeur. 3. C'est le premier train électrique que je *prendre* jamais [1] de ma vie. 4. Il se peut qu'ils *dormir*, mais je ne le crois pas.

II. Thème

1. The night before the battle the soldiers sleep badly. 2. They send letters to their families. 3. They take their courage in both hands.[2] 4. I was sending a letter to my father when his check arrived. 5. After reading the pamphlet which Mr. de Crosne had showed him, Louis sent for the queen. 6. Next, he will send for Miss Andrée de Taverney. 7. Mr. de Crosne will take back the pamphlet as soon as the king has read it.[3] 8. Andrée de Taverney must take leave of the queen.[4] 9. It is too bad that they took Oliva for the queen. 10. It is possible (*que*) the queen will not sleep tonight.

Exercices de grammaire

I. Mettre l'infinitif en italique au temps convenable du verbe:

1. Cette scène est la plus impressionnante que je *voir* jamais. 2. Il n'y a personne qui *savoir* l'avenir. 3. M. Coquery est ravi que Robert *suivre* ses conseils. 4. Bien que Robert *arriver* en France il n'y a que huit jours, il s'est empressé de suivre les conseils de M. Coquery. 5. Moi, je pense que Robert *faire* bien de partir pour Lourdes. 6. Robert cherche quelque chose qui *sortir* de l'ordinaire. 7. Robert

[1] **Jamais** precedes the past participle. [2] **à deux mains.** [3] What tense? [4] **Il faut . . .**

a envoyé un extrait de son journal afin que son vieux maître *pouvoir* se faire une idée de la scène à Lourdes. 8. J'acquerrai cette voiture à moins que le prix (ne) *être* trop élevé. 9. Il n'y a rien qui *pouvoir* lui faire plaisir. 10. Pour que Robert *faire* de bonnes études, son oncle lui viendra en aide.

II. Conjuguer au subjonctif présent et passé les verbes suivants:

1. avoir
2. être
3. prendre

4. faire
5. venir
6. savoir

III. Remplacer l'infinitif en italique par la forme convenable du passé simple:

1. Jeanne d'Arc *naître* à Domremy en Lorraine. 2. Elle *prendre* le parti d'aller à Chinon, en Touraine, où était le roi Charles VII. 3. Le voyage *être* difficile. 4. Elle *arriver* à Chinon et le roi Charles VII la *recevoir*. 5. Enfin il *croire* à sa mission. 6. Il *avoir* confiance en elle. 7. Il la *placer* à la tête de l'armée française. 8. Les soldats *attaquer* Orléans. 9. Les Anglais se *rendre*. 10. La plus grande héroïne française *mourir* à Rouen sur le bûcher.

IV. Traduire les mots entre parenthèses et les mettre à la place des tirets:

1. (*leaves, may take*) Son professeur désire voir Robert une dernière fois avant qu'il ne —— afin que celui-ci —— un voyage à Lourdes. 2. (*knows*) Lourdes offre le coup d'œil le plus frappant qu'il ——. 3. (*Whoever you may be*) ——, ne manquez pas de faire une visite à Lourdes. 4. (*are*) Nous autres professeurs cherchons des élèves qui —— intelligents. 5. (*until, returns*) Nous attendrons ici —— il ——. 6. (*unless, goes*) Robert reviendra directement —— il (ne) —— à Marseille. 7. (*will go, although, may be*) M. Coquery espère que Robert —— à Lourdes —— il —— une chaleur cuisante là-bas. 8. (*for fear that, may have*) Robert ira tout de suite à Marseille —— Claude Lévy (ne) —— parti en vacances. 9. (*Whatever they may say*) ——, on ne saurait se passer de l'étude de la grammaire. 10. (*God grant, come back*) —— qu'il —— sain et sauf. 11. (*Let him come back*) —— aussitôt que possible. 12. (*Long live*) —— l'Amérique!

V. Thème grammatical

A. Exercice sur le subjonctif:

1. Although Robert arrived in Paris only a few days ago, he thought he ought to phone (*à*) Mr. Coquery. 2. Robert is happy that Mr. Coquery has not gone to the country for he wants (*que*) Mr. Coquery to give him some information. 3. Naturally, Robert wants to see something that is unusual. 4. There is no one who is better ac-

quainted with France than Mr. Coquery. 5. Mr. Coquery thinks
that Lourdes is the most impressive sight that one can see. 6. Whoever you may be, if you take a trip to France, you must visit
Lourdes. 7. Provided you go there before August 15, you will see
an extraordinary sight. 8. Mr. Coquery invited Robert to dinner in
order that Robert might meet Mrs. Coquery. 9. Before doing anything at all, one must have enough money.[1] 10. Robert will not be
able to take this trip unless he receives a check from his uncle.

B. Exercice sur le passé simple:

1. Victor Hugo saw the light of day for the first time on February 26,
1802[2] at Besançon.[3] 2. While still young, he traveled in Italy[3] and
Spain. 3. Then he came back with his mother to live in Paris.
4. He wrote his first poetry[4] at the age of ten. 5. This poetry
written at such an age was a foretaste of[5] his talent. 6. In 1817 he
obtained an honorable mention in a competition held by the French
Academy. 7. When he was seventeen years old, he won the prize[6]
aux *Jeux Floraux de Toulouse*.[7] 8. He was soon recognized as the
head of a new literary school, called the Romantic School. 9. He
took an active part in the political movement of his century.
10. When Napoleon III became emperor, Victor Hugo left Paris
and spent in exile the eighteen years of the Second Empire (1852–
1870). 11. Although he is known in America rather by his novels,
Victor Hugo was a universal genius for he wrote also poetry and plays.
12. His works had a great influence on his era. He died May 22,
1885.

Thème d'imitation (facultatif)

1. Robert is annoyed with himself for having delayed in answering
his teacher's letter. 2. He had been away from Paris for a fortnight
and had just returned. 3. Mr. Coquery had proposed that Robert
should take a trip to Lourdes, saying that he would see something
unusual. 4. Robert decided to follow this good advice in order to
get an idea of this wonderful shrine. 5. For a long time the train
had been winding between the mountains, approaching little by
little the Pyrenees. Suddenly it arrived at the station of Lourdes
and Robert felt himself at once transported into another world.
6. Religious faith was the only thought which seemed to occupy the
whole town. 7. Scarcely was he on the other side of the *gave de Pau*
than he saw a never-to-be-forgotten scene. 8. God grant that you
may be able to go there one day!

[1] Necessity.   [2] Consult page 187 for dates.   [3] Consult page 132 for prepositions with cities and countries.   [4] **vers** (*m. pl.*).   [5] **faire prévoir.**   [6] **être
couronné.**   [7] A literary academy founded by the troubadours in 1323.

27 . Agreement of Adjectives

28 . Position of Adjectives

29 . Irregular Adjectives

30 . Demonstrative Adjectives

31 . Possessive Adjectives

DAILY VERBS:

écrire, mettre

La Cité Universitaire

Bien cher Maître,

De retour à Paris, j'ai eu plaisir à retrouver la Cité Universitaire qui est maintenant pour moi un domaine bien connu. Comme je vous le disais dans une de mes lettres, j'ai une chambre au Collège Franco-Britannique, qui est merveilleusement situé tout près de la 5 poste, près des principaux bâtiments de l'administration, non loin de l'hôpital et à deux pas de la Maison Internationale. C'est là que je prends mes repas tous les jours, dans une atmosphère à la fois bruyante et très attachante. Nous arrivons à « chahuter », discuter et déjeuner tout à la fois! Une jeune étudiante ne peut entrer dans 10 la salle à manger avec son chapeau sur la tête de crainte de soulever une tempête de cris jusqu'à ce qu'elle l'ait retiré. Je ne me risquerais pas moi-même à faire tomber mon plateau ou à renverser ma chaise car je serais immédiatement signalé à l'attention de tous par un « chahut » indescriptible. 15

Jeune, gaie, studieuse, telle est l'ambiance de la Cité Universitaire. Les autres pavillons offrent aussi de multiples intérêts et j'ai un grand nombre de camarades, soit au Pavillon Américain,[1] soit à la coquette Maison des Provinces de France. Chaque pavillon a son style particulier et il est bien amusant de passer des toits en pagode 20 de la Maison Japonaise aux cubes ultramodernes de la Fondation

[1] La Fondation des États-Unis.

71

Jeune, gaie, studieuse, telle est l'ambiance de la Cité Universitaire.
(*French Government Tourist Office*)

Suisse, ou des tours du Collège d'Espagne au fronton ionique de la Fondation Hellénique.

Dans ce grand domaine, nous avons toutes les facilités aussi bien pour un travail sérieux que pour des distractions variées. Sur tous les terrains de sports qui s'étendent derrière les bâtiments principaux, 5 ou dans le gymnase, nous oublierons, je crois, les questions de nos professeurs barbus. Nous les résoudrons plus facilement dans la calme retraite de notre bibliothèque spacieuse et silencieuse.

Le programme artistique pour cette année s'annonce aussi particulièrement intéressant et les différentes troupes de théâtre et de ballet 10 de la capitale viendront soumettre à nos critiques les jeunes talents parisiens. On nous annonce aussi un certain nombre de concerts prometteurs.

Je suis persuadé que cette année future va être des plus enrichissantes, aussi vais-je profiter de ces quelques semaines de flottement 15 et d'adaptation pour améliorer le plus possible mon français, afin de pouvoir goûter pleinement à cette vie palpitante. Je vous écrirai, à nouveau, bientôt pour vous faire part de mes nouvelles découvertes.

Je vous prie de croire, mon cher Maître, à mon sincère dévouement.

Robert Martin

P.S. Comme je serais heureux si je pouvais arriver à me débarrasser 20 de cet accent américain qui fait mon désespoir!

R. M.

CHOIX D'EXPRESSIONS

à deux pas (de)	within a stone's throw, close to, nearby
arriver à + *inf.*	to succeed in
faire part de	to announce, inform of
faire tomber	to let fall, cause to fall
à nouveau	again
soit . . . soit	either . . . or, whether . . . or
tous les jours, tous les soirs	every day, every evening
tout à la fois	all at the same time

CHOIX D'EXERCICES I

I. Composition orale. En s'inspirant de la lettre, l'étudiant se préparera à dire quelque chose sur chacun des sujets suivants:

1. Le domaine de Robert: sa chambre, la situation du Collège Franco-Britannique.

2. La Maison Internationale: l'atmosphère; la salle à manger; la jeune étudiante; le plateau; le « chahut ».

3. L'ambiance de la Cité Universitaire; les autres pavillons; chacun son style particulier.

4. Les facilités de la Cité Universitaire; le travail; les distractions; les sports; la bibliothèque.

5. Le programme artistique; les troupes.

6. Les pensées de Robert à l'égard de l'année future.

II. Traduire en anglais les phrases suivantes:

1. De retour à Paris, j'ai eu plaisir à retrouver la Cité Universitaire. 2. Le Collège Franco-Britannique est à deux pas de la Maison Internationale. 3. C'est là que je prends mes repas tous les jours, dans une atmosphère à la fois bruyante et très attachante. 4. Nous arrivons à « chahuter », discuter et déjeuner tout à la fois! 5. Je ne me risquerais pas moi-même à faire tomber mon plateau car je serais immédiatement signalé à l'attention de tous. 6. J'ai un grand nombre de camarades, soit à la Fondation des États-Unis, soit à la coquette Maison des Provinces de France. 7. Aussi vais-je profiter de ces quelques semaines de flottement et d'adaptation pour améliorer le plus possible mon français, afin de pouvoir goûter pleinement à cette vie palpitante. 8. Je vous écrirai, à nouveau, bientôt pour vous faire part de mes nouvelles découvertes.

MISE AU POINT GRAMMATICALE

27. Agreement of Adjectives

A. Ce garçon est à la fois **intelligent et laborieux.**
This boy is both intelligent and studious.

Sa sœur est aussi **intelligente** et **laborieuse.**
His sister is also bright and studious.

Sauf Paris et Marseille, les villes **françaises** ne sont pas **grandes.**
Except for Paris and Marseilles, French cities are not large.

tous les jours
every day

toute la nuit
all night long

Note. An adjective agrees in number and gender with the noun or pronoun it modifies.

B. Le père et son fils sont **beaux, tous** les deux.
The father and his son are both handsome.

La mère et sa fille sont **belles, toutes** les deux.
The mother and her daughter are both beautiful.

La mère et le père sont **bons** pour leurs enfants.
The mother and father are kind to their children.

Note. If an adjective modifies two or more masculine nouns, it must be in the masculine plural; if it modifies two or more feminine nouns, it must be in the feminine plural; if it modifies two or more nouns of different gender, it must be in the masculine plural.

C. **Tout**

tout le monde	everybody
tous les jours	every day
toute la nuit	all night long
toutes les heures	every hour

Note. The plural of **tout** drops the **t** and becomes **tous.**

Tout as an adverb:

Il est **tout** âgé.	He is quite old.
Elle est **tout** âgée.	She is quite old.
Elle est **tout** heureuse.	She is very happy.
Elle est **toute** seule.	She is all alone.
Elle était **toute** honteuse.	She was very much ashamed.
Nous étions **tout** interdits.	We were quite taken aback.

Note. The adverb **tout** behaves like an adjective and thus agrees only in one special case, i.e., before a feminine adjective beginning with a consonant or an aspirate **h.** An aspirate **h** prevents linking.

28. Position of Adjectives

A. une table **carrée**	a square table
un chapeau **gris**	a gray hat
un soldat **anglais**	an English soldier
une église **catholique**	a Catholic church
un édifice **imposant**	an imposing building
des contes **choisis**	selected stories
une voix **merveilleuse**	a marvelous voice
une voix extrêmement **jolie**	an extremely pretty voice

Note. Adjectives usually follow the nouns they modify, especially:

(1) adjectives of physical qualities (shape, color, etc.);
(2) adjectives of class (nationality, religion);
(3) participles used as adjectives;
(4) long adjectives and adjectives qualified by long adverbs or by adverbial phrases.

B autre, *other*   méchant, *wicked*   jeune, *young*   petit, *small*
   bon, *good*   vilain, *ugly*   vieux, *old*   long, *long*
   gentil, *nice*   beau, *beautiful*   quel, *what*   court, *short*
   mauvais, *bad*   joli, *pretty*   grand, *large*   vif, *lively*

   un **gentil petit** garçon   a nice little boy
   une **jolie jeune** femme   a pretty young woman

Note. The important adjectives listed above usually precede their noun.

C. une **jolie petite** maison **blanche**   a pretty little white house
   une femme **jolie et instruite**   a pretty and well-educated woman

Note. When two or more adjectives qualify a noun, each adjective follows its particular rule as to position unless they are joined by a conjunction, in which case all must follow the noun if any one of them does so regularly.

D. un homme **brave**   a brave man
   un **brave** homme   a fine, honest man

   l'enfant **pauvre**   the poor (*not rich*) child
   le **pauvre** enfant   the poor (*to be pitied*) child

   un homme **grand**   a tall man
   un **grand** homme   a great man

   une mort **certaine**   sure death
   un homme d'un **certain** âge   a middle-aged man

   le tableau **noir**   the blackboard
   mes **noirs** chagrins   my deep sorrows

   un mouchoir **propre**   a clean handkerchief
   mes **propres** yeux   my own eyes

Note. Some adjectives may either follow or precede the nouns they modify. Many follow the rule that if an adjective is used in a literal or distinctive sense, it follows; if it is used in a figurative or emotional sense, it precedes.[1]

In literary prose and poetry a change from the usual position of the adjective is often used to produce various stylistic effects.

29. Irregular Adjectives

A. Feminine of adjectives. — Some exceptions to the rules for the regular adjectives, which add **e** in the feminine.

---

[1] When **dernier,** *last,* and **prochain,** *next,* qualify an object in a series, they precede their nouns. When, however, **dernier** means *just past,* and **prochain** means *approaching,* they follow the nouns:
   la **dernière** semaine de l'année   the last week of the year
   But: la semaine **dernière (prochaine)**   last (next) week

1. Masculine adjectives ending in mute **e** do not change:

riche (*m. and f.*), *rich;* facile (*m. and f.*), *easy*

2. Final **f** > **v(e)**; **x** > **s(e)**, **ss(e)**, or **c(e)**; **c** > **ch(e)** or **qu(e)**; **g** > **gu(e)**:

actif, active (*active*); heureux, heureuse (*happy*); faux, fausse (*false*); doux, douce (*sweet, gentle*); sec, sèche (*dry*); public, publique (*public*); long, longue (*long*)

3. Final **el, eil, ien, on,** and often **s** and **t,** double the final consonant and add **e**:

cruel, cruelle (*cruel*); pareil, pareille (*similar*); ancien, ancienne (*ancient, former*); bon, bonne (*good*); gros, grosse (*big*); muet, muette (*mute*); coquet, coquette (*attractive*)

4. Other changes are indicated in the following list:

frais, fraîche (*fresh*); favori, favorite (*favorite*); bénin, bénigne (*benign*); grec, grecque (*Greek*); menteur, menteuse (*lying*); gentil, gentille (*nice*); cher, chère (*dear*)

B. The following adjectives have two masculine singular forms: the one ending in **l** is regularly used only before a vowel or **h** mute:

beau, bel (*beautiful*); fou, fol (*crazy*); mou, mol (*soft*); nouveau, nouvel (*new*); vieux, vieil (*old*)

un **bel** homme	a handsome man
un **nouvel** ami	a new friend
un **vieil** (*or* vieux [1]) ami	an old friend

30. Demonstrative Adjectives

A. Table

	SINGULAR		PLURAL	
MASC.	**ce (cet)** [2]	} *this, that*	**ces**	} *these, those*
FEM.	**cette**		**ces**	

B. Use

1. The demonstrative adjective is used to designate a person or thing that one wants to point out in a special way:

[1] Exceedingly rare.   [2] The demonstrative adjective **cet** is used only before a masculine singular noun beginning with a vowel or **h** mute:

cet ami, (*this, that*) *friend;* **cet** homme, *this* (*that*) *man*

ce journal (*m.*)	this (that) newspaper
cet ami (*m.*)	this (that) friend
cette voiture (*f.*)	this (that) car
ces gants (*m. pl.*)	these (those) gloves
ces pièces (*f. pl.*)	these (those) plays

2. Demonstrative adjectives are repeated before the nouns they modify, and agree with them in gender and number:

cet homme et cette femme	this man and woman

3. The suffixes −ci (*here*) and −là (*there*) are added to the noun qualified by a demonstrative adjective to distinguish between a near object (*this*) and a more distant one (*that*):

Ce chapeau-ci	this hat
Ce chapeau-là	that hat

Note. The suffixes −ci and −là are used when needed to avoid any ambiguity. Their use renders the thought more precise.

31. Possessive Adjectives

A. Table

SINGULAR	PLURAL	SINGULAR	PLURAL
mon (*m.*)	**mes**	**notre** (*m. and f.*)	**nos**
ma (*f.*)	**mes**		
ton (*m.*)	**tes**	**votre** (*m. and f.*)	**vos**
ta (*f.*)	**tes**		
son (*m.*)	**ses**	**leur** (*m. and f.*)	**leurs**
sa (*f.*)	**ses**		

B. Use

1. Adjectives, contrary to English usage, agree with the thing possessed and not with the possessor:

Charles aime mieux **sa** voiture.	Charles prefers his car.
Charlotte aime mieux **sa** voiture.	Charlotte prefers her car.

2. Possessive adjectives are repeated before each noun they qualify:

Mon oncle et **ma** tante sont chez eux.	My uncle and aunt are at home.

3. **Mon, ton, son** are used instead of **ma, ta, sa** before feminine nouns which begin with a vowel or with mute **h**:

Mon amie (*f.*) aime **son** école (*f.*).	My friend likes her school.

4. The definite article often replaces a possessive adjective, especially in referring to parts of the body, clothing, etc., when there is no ambiguity as to the possessor:

> J'ai de l'argent plein les poches. I have my pockets full of money.
> Levez la main. Raise your hand.

5. Ambiguity is often avoided in the above-mentioned case by the use of a dative personal pronoun before the verb:

> Il s'est cassé le bras. He broke his arm (to himself the arm).

6. A single object referring to parts of the body, clothing, etc., common to several possessors, is usually left in the singular in French, thus differing from the English usage:

> Les étudiants lèvent la main droite. The students raise their right hands.

7. To express the idea of *my own, your own, etc.* the preposition à plus the stressed [1] personal pronoun is used:

> Je préfère me servir de mon stylo à moi. I prefer to use my *own* pen.

DAILY VERBS

écrire	écrivant	écrit	écris	écrivis
(*write*)				
écrirai	écrivais	avoir écrit		écrivisse
écrirais PRES. IND.	écris, écris, écrit, écrivons, écrivez, écrivent			
PRES. SUBJ.	écrive, écrives, écrive, écrivions, écriviez, écrivent			

(**décrire,** *describe;* **inscrire,** *inscribe;* **souscrire,** *subscribe*)

mettre	mettant	mis	mets	mis
(*place, put*)				
mettrai	mettais	avoir mis		misse
mettrais PRES. IND.	mets, mets, met, mettons, mettez, mettent			
PRES. SUBJ.	mette, mettes, mette, mettions, mettiez, mettent			

(**admettre,** *admit;* **commettre,** *commit;* **permettre,** *permit;* **promettre,** *promise;* **remettre,** *put back;* **soumettre,** *submit*)

CHOIX D'EXERCICES II

Exercices sur les verbes *écrire, mettre*

I. Remplacer l'infinitif en italique par la forme convenable du verbe et traduire la phrase en anglais

[1] See Unit IX, page 97.

(*a*) au présent:

1. Qu'est-ce que vous *écrire?* 2. Je *écrire* l'exercice sur les verbes.
3. *Écrire*-ils leur devoir? 4. Je *mettre* mon chapeau avant de sortir.
5. Quel accent *mettre*-on sur la lettre *e* du verbe *je me lève?* 6. Que
mettre-vous sur le pain?

(*b*) au passé composé:

1. Robert *écrire* à son professeur hier. 2. Ils ne *écrire* pas à leurs
amis. 3. Je ne sais pas où je *mettre* mon chapeau.

(*c*) au passé simple:

1. Napoléon *écrire* d'Italie toute une série de lettres passionnées à
Joséphine. 2. Il y *mettre* tout son cœur. 3. Pour voir l'Empereur
ils *mettre* des vêtements neufs.

(*d*) au subjonctif présent ou passé selon le cas:

1. J'attendrai qu'elle *écrire*. 2. Que voulez-vous que nous *mettre?*
3. Je suis navré qu'elle ne me *écrire* pas pendant son séjour à Paris.
4. C'est le meilleur livre que cet auteur *écrire*.

II. Thème sur les verbes

1. These students often write letters to their former teacher. 2. I
was writing when the mailman put a letter in the box. 3. The students would write more often if they had the time. 4. It is better
for (*que*) them to put on their overcoats, because it is cold outside.
5. His teacher regrets that Robert has not written more often.
6. Robert will write to his sweetheart soon. 7. This year, the
various Parisian theatrical companies are to present their artistic
talents to the young students of the Cité Internationale. 8. The
French often put an accent on this vowel when they write French.
9. Robert wrote that he had put hours and hours on his phonetics
in order to improve his pronunciation. 10. What do you want (*que*)
us to put on this evening?

Exercices de grammaire

I. Traduire les mots entre parenthèses et les placer dans la phrase
à la place convenable:

1. (*this, handsome*) Qui est ... homme ...? 2. (*former, my*) C'est
une ... connaissance ... de ... père ... 3. (*this, beautiful*) Que
pensez-vous de ... soirée ...? 4. (*his*) Quelle est ... adresse ...?
5. (*new*) Le ... an ... vient de commencer. 6. (*that, old*) ... ami
... m'aime beaucoup. 7. (*long*) Nous avons fait une ... promenade ... 8. (*dry*) J'ai les ... mains ... 9. (*counterfeit*) C'est une

... pièce ...   10. (*fresh*) Veuillez me donner de l' ... eau ...
11. (*happy*) Ils ont passé une ... année ...   12. (*well-known*) C'est
un ... fait ...   13. (*active*) Il mène une ... vie ...   14. (*sweet*) Au
Moyen Age on disait « la ... France ... ».

II. Traduire en français les mots entre parenthèses:

1. (*This*) auteur.   2. (*This*) tableau ou (*that*) tableau.   3. (*This*)
robe ou (*that*) robe.   4. (*These*) étudiants ou (*those*) étudiants.
5. (*That*) opéra.   6. (*My*) ami.   7. (*My*) amie.   8. (*His*) adresse.
9. (*Her*) école.   10. (*Her*) amis.   11. (*His*) mère.   12. (*Our*) patrie.
13. (*Our*) camarades.   14. (*Your*) affaires.   15. (*Their*) cuisine.

III. Thème grammatical

1. We spent a good day in Paris, an almost international city.   2. A
fresh breeze drove the heat away.   3. I have a dear old friend who
would like to spend Christmas in the United States.   4. I never
heard of such a thing.   5. *Cyrano de Bergerac* is my favorite play.
6. I admire Greek statues.   7. This beautiful automobile is very
expensive.   8. All our friends love her voice because it is very sweet.
9. His mother is very cruel.   10. These programs will be very
artistic.   11. She stayed home all alone every evening.   12. Napoleon was a great man but not a tall man.   He was a brave man
but hardly an honest man.

Thème d'imitation (facultatif)

1. Paris and the Latin Quarter are for us a well-known domain.
2. The Collège Franco-Britannique is close to the International
House.   3. Robert's room is wonderfully situated.   4. If Robert
happened to (*venir à*) drop his tray, he would be called to everyone's
attention by an indescribable booing.   5. Young, cheerful, and
studious, such is the atmosphere of the Cité Universitaire.   6. Robert
already has a large number of friends, either in the Fondation des
États-Unis or in the Maison des Provinces de France.   7. Every
evening there is varied entertainment.   8. This coming year will
be a very profitable one.   9. Robert wants to take advantage of
these weeks of liberty to improve his French pronunciation as much
as possible.   10. Robert hopes to succeed in getting rid of that
American accent, which drives him to despair.

32 . Relative Pronouns

33 . Indefinite Adjectives and Pronouns

DAILY VERBS:

voir, lire, recevoir

Le Quartier Latin

LA VIE DES ÉTUDIANTS

Bien cher Maître,

Je rentre à l'instant du « boul' Mich' » [1] où le Quartier Latin était en effervescence. Jour des inscriptions. Je suis allé, en ce jour d'octobre, à la Sorbonne où, dès 8 heures du matin, nombre d'étudiants
5 faisaient déjà la queue. J'en suis parti après deux heures d'attente pendant lesquelles je me suis follement amusé. Les étudiants n'aiment pas attendre et plus d'un essayait de « resquiller », [2] quelquefois avec succès. Malgré un peu de bousculade et de chahut avec l'huissier de la Sorbonne, je suis cependant arrivé à me faire inscrire
10 aux cours de grammaire avancée et de littérature classique ainsi qu'à une série de conférences sur la littérature moderne et contemporaine qui vont bien occuper mes journées. Ce qui m'a surpris, c'est que nous ne sommes pas tenus d'assister aux cours. Tout ce qu'on nous demande, c'est de nous présenter aux examens de fin d'année. Je vais,
15 néanmoins, me soumettre à une stricte discipline, pour ne pas « sécher » [3] les classes, car je ne suis pas venu en France pour laisser passer une telle occasion de m'instruire.

Après les inscriptions, nous sommes allés prendre une consommation. J'étais intrigué par mes nouveaux camarades de faculté qui
20 m'appelaient « le bizuth ricain ». Ils m'ont expliqué plus tard qu'un « bizuth » était un nouvel étudiant et que « ricain » était une abbréviation pour Américain. Me voilà ainsi baptisé!!! De la terrasse

---

[1] **« boul' Mich' »**: boulevard Saint-Michel, which is the main thoroughfare and heart of the Latin Quarter, the student quarter of Paris. The great schools are all located here. Latin used to be the official language of the University of Paris, hence the name of this district. [2] **« resquiller »** (student slang), *to sneak ahead of one's place in line.* [3] **« sécher »** (student slang), *to cut.*

Après un cours à la Sorbonne, des étudiants bavardent dans le cadre reposant du fameux jardin du Luxembourg. Au fond le Palais du Luxembourg. (*Three Lions*)

du café, nous avons assisté à un interminable défilé de potaches
(jeunes lycéens) et j'étais très fier de n'être plus classé dans cette
catégorie.

Ce « boul' Mich' » est vraiment le cœur du Quartier des Écoles et
5 la plupart des bâtiments sont soit de très anciens lycées, tels que
Louis-Le-Grand, Henri Quatre et Saint-Louis, soit des facultés telles
que la « Fac » de Droit, la « Fac » de Médecine et la Sorbonne, mon
nouveau domaine, qui abrite les « Facs » des Lettres et des Sciences.
Un chic à la Sorbonne! Toutes les vitrines dans les magasins d'alen-
10 tour affichent « la rentrée des classes » et j'ai déjà acheté chez Gibert
et aux Presses Universitaires quelques-uns des livres dont j'aurai
besoin. Il me reste maintenant à les lire et à les assimiler.

Tard dans la matinée j'ai assisté à un monôme d'étudiants qui
venaient de terminer leurs écrits et qui se promenaient sur le « boul'
15 Mich' » en arrêtant la circulation et en taquinant les passants ou
les consommateurs aux terrasses des cafés. Ils marchaient à la file
indienne; chacun avait le bras étendu sur l'épaule du voisin de
devant. La police n'a pas tardé à arriver et à disperser le groupe en
un éclair. Pour être parfait, il va falloir que j'apprenne le répertoire
20 des chansons d'étudiants et que je m'achète une faluche.[1] Vous ne
pourrez plus me reconnaître.

Après cette matinée bien remplie, je me suis dépêché de rentrer à
la Cité Universitaire, ce qui, par le métro, ne me prend pas plus de
dix minutes. Je me permets quelquefois d'oublier d'entrer dans la
25 station de métro Luxembourg pour aller me promener dans le magnifique jardin du même nom.

Dès que je verrai monsieur Coquery, je ne manquerai pas de lui
faire part du contenu de votre lettre que j'ai reçue il y a trois jours
et qui m'a fait un bien vif plaisir.

30 Permettez-moi, mon cher Maître, de clore cette longue missive
en vous envoyant mes souvenirs très respectueux.

Robert Martin

CHOIX D'EXPRESSIONS

à l'instant	(at) this very moment
assister à	to attend
faire plaisir (à)	to please
faire la queue	to stand in line
il y a + *time word*	. . . ago
tout de même, quand même	in spite of all, anyhow
tenu de + *inf.*	obliged to

[1] **faluche:** large black velvet beret worn by French students.

CHOIX D'EXERCICES I

I. Composition orale. En s'inspirant du texte, l'étudiant se préparera à dire quelques mots sur chacun des sujets suivants:

1. Le Quartier Latin en effervescence: les étudiants, la queue, on essaie de resquiller.
2. Les cours de Robert; sa surprise; la stricte discipline: pourquoi?
3. Au café: consommation; « le bizuth ricain »; le défilé de potaches.
4. Le « boul' Mich' »: cœur du Quartier Latin; les bâtiments; les facultés; la Sorbonne; les librairies.
5. Le monôme: ce que c'est; la circulation; les passants; la police; le répertoire des chansons d'étudiants.
6. La rentrée à la Cité Universitaire; le métro; le jardin du Luxembourg.
7. La fin de la lettre; le contenu de la lettre du professeur.

II. Traduire en anglais les phrases suivantes:

1. Je suis allé, en ce jour d'octobre, à la Sorbonne où, dès 8 heures du matin, nombre d'étudiants faisaient déjà la queue. 2. Malgré un peu de bousculade, je suis cependant arrivé à me faire inscrire à mes cours. 3. Ce qui m'a surpris, c'est que nous ne sommes pas tenus d'assister aux cours. 4. Tout ce qu'on nous demande, c'est de nous présenter aux examens de fin d'année. 5. J'étais fier de n'être plus classé dans cette catégorie. 6. J'ai déjà acheté quelques-uns des livres dont j'aurai besoin. Il me reste maintenant à les lire et à les assimiler. 7. Tard dans la matinée j'ai assisté à un monôme d'étudiants qui venaient [1] de terminer leurs écrits et qui se promenaient sur le « boul' Mich' ». 8. Pour être parfait, il va falloir que j'apprenne le répertoire des chansons d'étudiants. 9. Après cette matinée bien remplie, je me suis dépêché de rentrer à la Cité Universitaire, ce qui, par le métro, ne me prend pas plus de dix minutes. 10. Dès que je verrai monsieur Coquery, je ne manquerai pas de lui faire part du contenu de votre lettre que j'ai reçue il y a trois jours.

[1] Except in very rare cases, the French use only the present and imperfect tenses in the expression **venir de:**

Il **vient de** sortir.	He has just gone out.
Il **venait de** sortir lorsque nous sommes arrivés.	He had just gone out when we arrived.

MISE AU POINT GRAMMATICALE

32. Relative Pronouns

A. Table

USE	PERSONS	THINGS	INDEFINITE
SUBJECT	**qui** (*who*)	**qui** (*that, which*)	**ce qui** (*what*)
OBJECT	**que** (*whom*)	**que** (*that, which*)	**ce que** (*what*)
AFTER A PREPOSITION [1]	**qui** (*whom*)	**lequel** (*m.*), **laquelle** (*f.*), **lesquels** (*m.pl.*), **lesquelles** (*f.pl.*) (*which*)	

1. The relative pronouns divide mainly on the basis of **qui** for the subject and **que** for the object.

2. **Lequel** and **lesquels** with à and **de** become **auquel, auxquels** and **duquel, desquels.**

B. Use

1. L'homme **qui** m'a vu	The man who saw me
L'homme **que** j'ai vu	The man whom I saw
L'homme avec **qui** je suis venu	The man with whom I came
La voiture dans **laquelle** je suis venu	The carriage in which I came

Note. **Qui** is the subject, **que** the object of the verb for both persons and things. After prepositions, **qui** is generally used for persons, **lequel** for animals and things (when the antecedent is definite).

2. La personne avec **laquelle** (avec **qui**) je suis venu	The person with whom I came
L'oncle de Marie, **lequel** est malade . . .	The uncle of Mary, who is ill

Note. **Lequel, laquelle,** etc. are used occasionally for persons after prepositions,[2] and to prevent ambiguity.

---

[1] See also **dont, quoi,** and **où** on page 87.   [2] **Lequel** is regularly used instead of **qui** after **parmi** and **entre:** Je vois beaucoup de soldats, parmi **lesquels** se trouvent des Américains. *I see many soldiers, among whom are some Americans.*

3. Dites-moi **ce qui** est arrivé. Tell me what happened.

Je ne comprends pas **ce que** vous voulez dire. I do not understand what you mean.

Note. The English relative pronoun *what* is translated in French by **ce qui** when used as the subject and **ce que** when used as the object.

4. L'étudiant **dont** je parlais The student of whom I was speaking

L'étudiant **dont** vous avez vu le père The student whose father you saw

L'étudiant au père **duquel** vous parliez The student to whose father (to the father of whom) you were speaking

Note. **Dont** [1] is commonly used instead of **de qui** or **duquel** for *of whom, of which, whose.* When depending on a noun governed by a preposition, **duquel** or **de qui** must be used instead of **dont.**

5. Je sais à **quoi** vous pensez. I know what you are thinking of.

Note. **Quoi**, *what, which,* is used after prepositions when the antecedent is indefinite.[2]

6. Voici la maison **où** il demeure. Here is the house in which he lives.

Note. **Où**, *where,* as in English frequently replaces a relative pronoun preceded by a preposition meaning *to, at, in.*

33. Indefinite Adjectives and Pronouns

Some of the indefinites are used as adjectives only, others as pronouns only, while some have both uses. A few of the most common forms are:

A. Adjectives (only):

chaque, *each, every*
quelque(s), *some (pl. = a few)*
quelconque(s) (placed after noun), *of some kind or other*

chaque homme, *each man;* **quelques** pommes, *a few apples;* un homme **quelconque**, *any man whatever*

B. Pronouns (only):

chacun(e), *each one*
quelqu'un(e), *someone, somebody, anyone*

---

[1] **Dont** ordinarily follows directly its antecedent in a sentence, and is followed directly by the subject of the clause, as: L'étudiant **dont** vous avez vu le père, *The student whose father you saw.* [2] **Dont** may also be used for **de quoi,** as: Voilà ce **dont** il a besoin. *That is what he needs.*

quelques-uns (-unes), *some, a few*
quelque chose,[1] *something*
on,[2] *one* (indefinite, *they, we*)
personne, *nobody*
rien, *nothing*
quiconque, *whoever*

Chacun pour soi.	Each one for himself.
(*Plumes*) J'en ai acheté **quelques-unes.**	(*Pens*) I bought some of them.
Si l'**on** dit cela, **on** ment.	If people say that, they lie.
Personne n'est venu.	Nobody came.
Quiconque entrera je le tuerai.	Whoever enters I will kill him.

Quelqu'un, quelque chose, personne, and **rien** require **de** before an adjective:

J'ai vu **quelque chose de** joli.	I saw something pretty.
Je n'ai **rien de** bon.	I have nothing good.

C. Adjectives or pronouns:

aucun(e), *some, any;* (with **ne,** *no, none*)
nul(le) . . . ne, *no, none, not one*
tel(le), *such (a), like, such a one*
tout(e),[3] **tous, toutes,** *each, every, whole, all*

Aucun ami **n'est** venu me voir, — **aucun.**	No friend came to see me, — not one.
Un **tel** homme.	Such a man.
Tous[4] les soldats sont braves, — **tous.**[4]	All of the soldiers are brave, — all of them.

DAILY VERBS

voir	voyant	vu	vois	vis
(*see*)				
verrai	voyais	avoir vu		visse
verrais	PRES. IND.	vois, vois, voit, voyons, voyez, voient		
	PRES. SUBJ.	voie, voies, voie, voyions, voyiez, voient		

(revoir, *see again*)

---

[1] **Chose** is usually feminine; but **quelque chose** is masculine.   [2] After **si, que,** and a few other words, **l'** is often inserted before **on** to prevent hiatus.
[3] Note the following uses of **tout: tout le monde,** *everybody;* **tous les hommes,** *all men;* **tous les jours,** *every day,* **toute la maison,** *the whole house.*
[4] As a pronoun, the **s** of **tous** is pronounced; as an adjective, it is silent.

lire	lisant	lu	lis	lus
(*read*)				
lirai	lisais	avoir lu		lusse
lirais PRES. IND.	lis, lis, lit, lisons, lisez, lisent			
PRES. SUBJ.	lise, lises, lise, lisions, lisiez, lisent			

(élire, elect)

recevoir	recevant	reçu	reçois	reçus
(*receive*)				
recevrai	recevais	avoir reçu		reçusse
recevrais PRES. IND.	reçois, reçois, reçoit, recevons, recevez, reçoivent			
PRES. SUBJ.	reçoive, reçoives, reçoive, recevions, receviez, reçoivent			

(apercevoir, perceive; concevoir, conceive; décevoir, deceive.)

CHOIX D'EXERCICES II

Exercices sur les verbes *voir*, *lire*, *recevoir*

I. Remplacer l'infinitif en italique par la forme convenable du verbe et traduire la phrase

(*a*) au présent:

1. Je *voir* ce qu'il *lire*. 2. *Voir*-vous ce qu'ils *lire?* 3. Elle *lire* tout ce qu'elle *voir*. 4. Ils ne *voir* pas ce que nous *lire*. 5. Le professeur *recevoir* souvent des lettres de Robert. 6. Les étudiants laborieux *recevoir* une récompense. 7. Nous autres vieillards nous *recevoir* une pension.

(*b*) à l'imparfait:

1. Lorsque j'étais jeune, je *lire* tout ce que je *voir*. 2. Les étudiants *lire* à haute voix quand on a frappé à la porte. 3. L'hiver dernier nous le *voir* presque tous les jours. 4. Il *recevoir* ses amis avec une courtoisie toute française.

(*c*) au plus-que-parfait:

1. De l'histoire de France il avait oublié tout ce qu'il *lire* jamais.
2. Robert a dit qu'il *recevoir* un chèque substantiel de son oncle.
3. Robert était émerveillé par tout ce qu'il *voir* à Paris.

(*d*) au conditionnel passé:

1. Si Robert n'était pas allé à Lourdes, il ne *voir* pas cette scène émouvante. 2. Robert ne *lire* pas *Cyrano de Bergerac* si son professeur ne lui avait pas dit de le faire. 3. Pour le moment, Robert a de l'argent plein les poches. *Recevoir*-il un chèque de son oncle par hasard?

(*e*) au subjonctif présent ou passé selon le cas:

1. C'est le plus beau cadeau que nous *recevoir* jamais.   2. Quoique Robert *lire* facilement tout ce qu'il voit, il voudrait se débarrasser de son accent américain.   3. Il faut que les Américains *voir* tous les trésors artistiques de Paris.

II. Thème sur les verbes

1. I'll believe it when I see it.   2. I saw him pass by a little while ago. 3. I must see this Frenchman this evening.[1]   4. What do you see down there?   5. I see a crowd of students.   6. Tell me what you read and I'll tell you what you are.   7. I am reading the paper. 8. As soon as you have finished reading the paper, will you give it to me? 9. By reading one learns many things.   10. Robert receives letters from his former teacher every week.   11. Do you receive letters from Paris?   12. What news did Robert receive yesterday?   13. It is absolutely necessary that I receive a check tomorrow.

Exercices de grammaire

I. Traduire en français les mots entre parenthèses et les placer dans les phrases à la place convenable:

1. (*which*) Robert est allé en ce jour d'octobre à la Sorbonne, —— abrite les « Facs » des Lettres et des Sciences.   2. (*whom*) Il a trouvé très sympathiques les étudiants —— il y a rencontrés.   3. (*What*) —— l'a surpris, c'est qu'il n'est pas tenu d'assister aux cours de la Sorbonne.   4. (*who, where*) On appelle « potaches » les jeunes lycéens —— passaient devant le café —— Robert et ses nouveaux amis prenaient une consommation.   5. (*whom*) Les camarades avec —— Robert prenait une consommation l'ont appelé « le bizuth ricain ». 6. (*which*) Robert a déjà acheté tous les livres —— il aura besoin. 7. (*who*) Les étudiants —— venaient de terminer leurs écrits se promenaient sur le boulevard Saint-Michel.   8. (*which*) Il ne lui reste qu'à assimiler les livres —— il vient d'acheter.   9. (*that*) Il racontera à son professeur tout —— il a fait en ce jour d'octobre.   10. (*what*) Dites-moi —— est arrivé.   11. (*what*) Il voudrait que je lui dise —— je fais à la Cité Universitaire.   12. (*which*) Robert vient de recevoir une lettre dans —— se trouvait un chèque substantiel.   13. (*in which*) Le pavillon —— Robert demeure s'appelle le Collège Franco-Britannique.

II. Traduire en français les mots entre parenthèses et les placer dans les phrases:

1. (*something*) La scène à Lourdes est —— de grandiose.   2. (*Everybody*) —— doit travailler pour se tirer d'affaire.   3. (*No, Not one*)

---

[1] Use **falloir**.

—— professeur ne doit s'attendre à être riche. 4. (*Each*) —— étudiant doit faire de son mieux. 5. (*Somebody, something*) —— a dit : « A —— malheur est bon. » 6. (*Whoever*) —— a dit cela, ment 7. (*a few*) Robert a passé —— jours à Marseille. 8. (*Each one*) —— doit défendre sa patrie. 9. (*Nobody, such*) —— n'aime une —— femme. 10. (*One*) —— n'est pas un louis d'or.[1] 11. (*nothing*) Tout est perdu, il n'y a —— à faire. 12. (*Some*) —— disent « oui », d'autres disent « non ».

III. Combiner en une seule phrase les paires de phrases suivantes en remplaçant les mots en italique par un pronom relatif :

1. (*a*) Robert a choisi les cours.
   (*b*) Son professeur de français lui a dit de choisir *ces cours*.
2. (*a*) Robert a dîné chez M. Coquery.
   (*b*) *M. Coquery* lui a proposé le voyage à Lourdes.
3. (*a*) Voilà *la chose*.
   (*b*) Robert doit faire *cette chose*.
4. (*a*) Robert n'a pas encore rencontré le Général Desbareau.
   (*b*) Son oncle lui a souvent parlé *de ce général*.
5. (a) Robert a passé une soirée chez M. Coquery.
   (*b*) Pendant *la soirée* ce dernier a proposé le voyage de Lourdes.

IV. Thème grammatical

A. 1. Each one has the right to express his opinion. 2. Someone has said: "L'appétit vient en mangeant." 3. Who wants to be sick? — Nobody. 4. Whoever you may be, don't fail to go to see Paris before you die. 5. There is nothing more impressive than Napoleon's Tomb. 6. That is nothing to me.[2] 7. Such a woman always knows how to get along. 8. I have something interesting to tell you. 9. He used to go out early every morning. 10. Nothing is perfect.

B. 1. The uncle whom Robert loved so much provided the money that he needed for this trip. 2. Robert writes each week in order that his teacher may know what he is doing in Paris. 3. What pleases him a great deal is that Robert appears to appreciate French culture. 4. Robert is not the one[3] who is going to cut his classes. 5. The friends whose acquaintance Robert has made find him very congenial. 6. The professor with whom Robert studied French reads *France-Illustration*, which keeps him informed about all that goes on in Paris. 7. The village in which George Washington was born is near Washington. 8. The professor took out the red pencil with which he corrects the homework.

[1] *You can't please everybody as a twenty-franc gold piece does.*   [2] Use **faire.**
[3] **celui.**

Thème d'imitation (facultatif)

1. As early as 8 o'clock in the morning a large number of students were standing in line to register for their courses.   2. In spite of a little jostling, Robert succeeded in getting registered for the courses that he wanted to attend.   3. What surprised him was that he was not obliged to attend classes.   4. I don't believe Robert has come to France to pass up such an opportunity to improve himself.   5. The Sorbonne, founded by Robert de Sorbon in 1253, houses both the Faculties of Arts and Sciences.   6. Do you want to know what a *monôme* is?   The students march in single file; each one places his arm on the shoulder of his front neighbor.   7. It is going to be necessary for Robert to learn the repertory of French student songs.   8. Sometimes, he takes the liberty of going for a stroll in the Luxembourg Gardens before taking the subway to return to the Cité Universitaire.   9. Robert will not fail to inform Mr. Coquery of the contents of the letter which arrived a week ago.

34 . Personal Pronouns

35 . Negation

DAILY VERBS:

boire, connaître, plaire

Chez Marianne

Bien cher Maître,

Quoique l'ambiance de la Cité Universitaire ainsi que celle du Quartier Latin fassent bien mon affaire, j'éprouve parfois le désir de sortir de mon trou afin de voir ce qui se passe dans d'autres quartiers de Paris. Cherchant conseil, je me suis adressé à un de mes 5 bons camarades, Jacques François Mérie, qui connaît Paris comme sa poche. Il a eu la gentillesse de m'indiquer un café très parisien qui a répondu parfaitement à mon attente. Puisque vous avez bien voulu me dire que mon journal vous intéresse, je vous en envoie aujourd'hui un autre extrait qui raconte les événements d'une soirée 10 qui est, peut-être, la plus intéressante que j'aie passée depuis que je suis à Paris. Il m'a semblé que vous auriez quelque intérêt à le lire.

Je vous prie de croire, mon cher Maître, à l'expression de mes sentiments loyalement dévoués.

Robert Martin

EXTRAIT DU JOURNAL DE ROBERT MARTIN

ROBERT. Dites donc, Jacques! Si vous connaissez, par hasard, un 15 café soit à Montmartre, soit à Montparnasse, où il n'y ait que des Parisiens, indiquez-le-moi je vous en supplie car j'ai une envie folle de passer une soirée dans une ambiance éloignée des livres et des professeurs.

JACQUES. Vous avez bien fait de vous renseigner auprès de moi. 20 J'ai justement votre affaire. Allez dîner « Chez Marianne » boulevard de Clichy, à Montmartre. Vous m'en direz des nouvelles. De plus, on n'y rencontre jamais d'étrangers, en tout cas, presque jamais!

(French Government Tourist Office)

La place du Tertre, Montmartre, avec le Sacré-Cœur au fond.

Le Moulin Rouge.

Après l'avoir remercié, j'ai sauté dans un taxi qui m'a amené sur la Butte et m'a déposé à la porte d'un petit restaurant qui s'annonçait typiquement parisien, même du dehors.

Une jolie terrasse en miniature, que protégeaient des caisses de fleurs, m'invitait à y entrer et confirmait mon impression qu'en fait 5 de restaurants, Jacques s'y connaissait bien.

Sur le seuil de la porte, le gérant, d'un sourire aimable, m'a fait un accueil cordial. Tout en me souhaitant la bienvenue dans sa « petite république » comme il disait, il m'a exprimé son grand regret de n'avoir rien à m'offrir comme table au rez-de-chaussée, mais il m'a 10 assuré que je trouverais, au premier, une bonne table libre, et de plus, il m'a consolé en promettant de me confier aux soins d'un de ses garçons les plus habiles. M'inclinant devant l'inévitable, je l'ai suivi au premier où il m'a installé confortablement sur une banquette de velours, le dos au mur. En effet, c'était bien plus calme, il y 15 avait plus de place, moins de bousculade et chose importante, un coup d'œil rapide m'a révélé que j'étais le seul étranger. J'allais donc avoir le plaisir d'étudier, à la fois, la cuisine et les mœurs.

J'étais sur le point de demander le maître d'hôtel quand je l'ai aperçu qui s'approchait, prêt à mettre tout son savoir à ma disposi- 20 tion. C'était un diplomate et un psychologue. Il prévoyait si bien mes goûts que le choix d'un dîner qui, en France, atteint parfois les proportions d'un drame, a été, grâce à lui, on ne peut plus simple.

Ensuite, le maître d'hôtel a passé ma commande au garçon qui, lui aussi, était un véritable artiste. Il m'a fait comprendre, dès son 25 arrivée, qu'il allait apporter un soin tout particulier au service de mon dîner car, aux yeux des Français, faire préparer et servir un bon dîner, c'est une affaire d'État, ou peu s'en faut.

En attendant qu'on me le serve j'ai eu le loisir de regarder autour de moi. Les clients avaient tous l'air d'apprécier les mets délectables 30 qu'on leur servait. Tout le monde buvait du vin ou de la bière, mais, chose remarquable, personne n'en buvait trop.

Soudain mes yeux horrifiés se sont posés sur une inscription flamboyante au centre du mur du fond. Elle proclamait en lettres rouges énormes cet appel révolutionnaire :   35

ALLONS ENFANTS DE LA PATRIE
LE JOUR DE « BOIRE » EST ARRIVÉ !

Sans doute c'était le cri de guerre de la « petite république ». Et puis j'ai remarqué, encadrés et accrochés au mur, des documents qui dataient de la Révolution Française. Des bibelots intéressants don- 40 naient de la couleur locale à la salle.

Mais voici mon dîner ! On me le sert. Quel service et quel dîner ! C'est alors que je me suis vraiment rendu compte que, en France, la

cuisine n'est ni plus ni moins qu'un art. De temps en temps celui
qui m'avait servi en artiste revenait veiller sur moi. Je vous épargne
les détails, mais vous pouvez me croire si je vous avoue franchement
que je n'ai jamais rien goûté de si délicieux, ni de si savoureux de ma
5 vie. Il n'y a aucun doute à cet égard: Sur le pont d'Avignon, on y
danse, on y danse, mais « Chez Marianne » on y mange, on y mange . . .

ROBERT. Garçon, je n'en peux plus! L'addition, s'il vous plaît.

LE GARÇON. Je vous l'apporte tout de suite, monsieur.

ROBERT. Si le gérant est libre, envoyez-le-moi, car j'ai un mot à lui
10   dire.

LE GARÇON. Je vous l'envoie à l'instant, monsieur. Tiens! Justement le voilà!

ROBERT. Pourrais-je exprimer à madame Marianne mes félicitations
pour ce bon dîner?

15 LE GÉRANT. Mais, il n'y a pas de Marianne, monsieur. Aux États-
Unis, quand on parle du gouvernement, on l'appelle « Uncle Sam ».
En Angleterre, on dit « John Bull ». En France, on l'appelle
« Marianne » . . . C'est ici notre petite république de la Bonne
Cuisine, « Chez Marianne ».

20 ROBERT. Eh bien, on apprend du nouveau tous les jours. Bonsoir,
monsieur!

CHOIX D'EXPRESSIONS

avoir (son) affaire	to have just what one wants
avoir l'air (de)	to appear, seem, look like
connaître Paris comme sa poche	to know Paris extremely well
se connaître en (à)	to be a good judge of
s'y connaître bien	to be an expert
de plus	besides, moreover
de temps en temps	occasionally
en artiste	like (as) an artist
en effet	as a matter of fact, sure enough
en fait de	in the matter of, on the subject of
en tout cas	at any rate
faire (son) affaire	to be just the thing, just what one wants
je n'en peux plus	I can't go on, I can't (eat) any more
peu s'en faut	almost, very nearly so
être sur le point de	to be about to
tiens !	look here! well!
tout de suite	right away
vous m'en direz des nou-velles	you'll be agreeably surprised, you'll be delighted

CHOIX D'EXERCICES I

I. Composition orale. En s'inspirant du texte, l'étudiant dira quelque chose sur chacun des sujets suivants:

  1. L'ambiance de la Cité Universitaire; le désir d'en sortir.
  2. Jacques François Mérie, sa gentillesse.
  3. L'envoi d'un extrait du journal de Robert; pourquoi?
  4. La prière adressée à Jacques; sa réponse.
  5. L'arrivée « Chez Marianne »: la description de l'extérieur, l'accueil du gérant, une table au premier.
  6. Il commande le dîner; le maître d'hôtel; le garçon.
  7. Un coup d'œil sur la salle; les clients; les murs.
  8. Le dîner est servi.
  9. La conversation à la fin; le garçon, le gérant.

II. Traduire en anglais les phrases suivantes:

1. Quoique l'ambiance de la Cité Universitaire ainsi que celle du Quartier Latin fassent bien mon affaire . . . 2. Comme Jacques connaît Paris comme sa poche, il a mon affaire. 3. Allez dîner « Chez Marianne ». Vous m'en direz des nouvelles. 4. En fait de restaurants, Jacques s'y connaît bien. 5. J'allais donc avoir le plaisir d'étudier, à la fois, la cuisine et les mœurs. 6. J'étais sur le point de demander le maître d'hôtel quand je l'ai aperçu qui s'approchait, prêt à mettre tout son savoir à ma disposition. 7. Aux yeux des Français, faire préparer et servir un dîner, c'est une affaire d'État, ou peu s'en faut. 8. C'est alors que je me suis rendu compte que, en France, la cuisine n'est ni plus ni moins qu'un art. 9. Je n'ai jamais rien goûté de si délicieux ni de si savoureux de ma vie. 10. Garçon, je n'en peux plus! L'addition, s'il vous plaît.

MISE AU POINT GRAMMATICALE

34. Personal Pronouns

A. Table of subject, conjunctive,[1] and stressed [2] personal pronouns

SUBJECT	CONJUNCTIVE		STRESSED (DISJUNCTIVE)
	DIRECT OBJECT	INDIRECT OBJECT	
je	me	me	moi
tu	te	te	toi
il, elle	le, la, se	lui, se	lui, elle, soi
nous	nous	nous	nous
vous	vous	vous	vous
ils, elles	les, se	leur, se	eux, elles

[1] Joined to the verb.   [2] The traditional name for these pronouns is "disjunctive."

B. Sentence position

1. Il **le leur** donne.   He gives it to them.
   Ne **le leur** donnez pas.   Do not give it to them.
   Donnez-**le-leur.**   Give it to them.

Note. Conjunctive pronouns used as direct or indirect objects of the verb always precede it, except in the imperative affirmative, when they follow.[1] No word may come between a verb and its pronoun object.

2. Il **leur en** donne.   He gives them some.
   Donnez-**leur-en.**   Give them some.
   (Paris) J'**y** vais.   (Paris) I am going there.
   N'**y** allons pas.   Let us not go there.

Note. **En,** *of it, from it, of them, some, any,* and **y,** *to it, to them, there,*[2] follow the same rules for sentence position as the conjunctive object pronouns.

C. Order

1. Order before verb or auxiliary [3]:

me				
te		(**le**)		(**lui**)
se	before	{ **la** }	before	{ **leur** } before **y** before **en** (verb or auxiliary)
nous		(**les**)		
vous				

   i.e., 1st, 2nd, 3rd person, **lui, leur, y, en** (verb or auxiliary)

   Il **nous les** donne.   He gives them to us.
   (Paris) Il **le leur y** apporte.   (Paris) He brings it to them there.
   Il **y en** a.   There are some.

2. Order after verb (imperative affirmative):

   Envoyez-**le-leur.**   Send it to them.
   Envoyez-**leur-en.**   Send them some.

Note. Verb + direct object + indirect object (with **en** and **y** after the pronoun objects).

   (*a*) Donnez-**le-moi.**   Give it to me.
         Donnez-**m'en.**   Give me some.

   Note. The forms **moi** and **toi** are used after the verb for **me** and **te,** except before **en** and **y,** when **m'** and **t'** are used.

[1] For their order, see C, 1 and 2.   [2] When the word *there* refers to a place already mentioned, it is usually **y;** otherwise it is **là,** especially when the speaker points.   [3] The conjunctive object pronouns (and **en**) precede **voici** and **voilà,** as: **le voilà,** *there he is;* **en voici,** *here are some.*

35. Negation

A. When no verb is present, simple negation is expressed by **non;** the English word *not* is usually **pas.**[1] When the verb is given, the most common negatives are:

ne . . . pas, *not*	**ne . . . rien,** *nothing*
ne . . . point, *not at all*	**ne . . . personne,** *nobody, no one*
ne . . . plus, *no more, no longer*	**ne . . .** $\left\{ \begin{array}{l} \textbf{aucun} \\ \textbf{nul} \end{array} \right\}$ *not any, none*
ne . . . jamais, *never*	
ne . . . guère, *scarcely*	**ne . . . ni . . . ni,** *neither . . . nor*
ne . . . que, *only*	

B. Position:

Je **n'**ai **guère** d'argent; je **n'**ai apporté avec moi **que** deux francs.	I have scarcely any money; I have brought with me only two francs.
Je **n'**ai **rien** vu.	I saw nothing.
Je **n'**ai vu **personne.**	I saw nobody.

Note. In simple tenses, **ne** comes before the verb (separated from it only by the personal pronoun objects); the second part of the negation follows the verb. In compound tenses, **ne** precedes the auxiliary, and the second negative word (**pas, rien,** etc.) comes between the auxiliary and the past participle, with the exception of **personne, que, aucun, nul,** and **ni . . . ni,** which regularly come after the past participle. **Pas** is omitted when any other negative is used.

1. **Personne**[2] **n'**est venu.	Nobody came.
Rien n'est arrivé.	Nothing happened.

Note. When the second part of the negation precedes the verb, **ne** is still used before the verb.

2. Il continue à **ne rien** dire et à **ne** voir **personne.**	He continues to say nothing and to see nobody.
Être ou **ne pas** être (*or* **n'**être **pas**).	To be or not to be.

Note. Both parts of the negatives **ne . . . pas, ne . . . rien,** and **ne . . . plus,** when used with an infinitive, usually precede it; **que** and **personne** follow it. When used with **avoir** or **être, pas, point,** and **plus** may either precede or follow.

C. **Ne** may be used without **pas** or **point** with certain verbs, especially **oser, cesser, pouvoir, savoir:**

---

[1] See also paragraph D.   [2] **Personne** as a noun is feminine; as a pronoun (as in the present case) it is masculine.

Je **n'**ose dire la vérité.	I do not dare tell the truth.
Je **ne** saurais vous le dire.	I could not (cannot) tell you.

D. When the verb is understood but not expressed, the second part of the negative is used alone to express negation:

Que voyez-vous? — **Rien.**	What do you see? — Nothing.
Qui voyez-vous? — **Personne.**	Whom do you see? — Nobody.

DAILY VERBS

boire	buvant	bu	bois	bus
(*drink*)				
boirai	buvais	avoir bu		busse
boirais	PRES. IND.	bois, bois, boit, buvons, buvez, boivent		
	PRES. SUBJ.	boive, boives, boive, buvions, buviez, boivent		

connaître	connaissant	connu	connais	connus
(*know*)				
connaîtrai	connaissais	avoir connu		connusse
connaîtrais	PRES. IND.	connais, connais, connaît, connaissons, connaissez, connaissent		
	PRES. SUBJ.	connaisse, connaisses, connaisse, connaissions, connaissiez, connaissent		

(paraître, *appear;* **reconnaître,** *recognize*)

plaire	plaisant	plu	plais	plus
(*please*)				
plairai	plaisais	avoir plu		plusse
plairais	PRES. IND.	plais, plais, plaît, plaisons, plaisez, plaisent		
	PRES. SUBJ.	plaise, plaises, plaise, plaisions, plaisiez, plaisent		

(se taire, *be silent;* **il se tait** has no circumflex.)

CHOIX D'EXERCICES II

Exercices sur les verbes *boire, connaître, plaire*

I. Remplacer l'infinitif en italique par la forme convenable du verbe et traduire la phrase en anglais

(*a*) au présent:

1. Je ne *boire* que de l'eau. 2. Nous *boire* à votre santé. 3. Les Français *boire* du vin. 4. Je ne *connaître* pas ce monsieur. 5. Il *connaître* votre père depuis longtemps. 6. *Reconnaître*-vous ce morceau de musique? 7. Il me *plaire*, ce jeune homme. 8. Nous nous *plaire* au bord de la mer.

(b) à l'imparfait:

1. Ce jeune homme avait quelque chose qui *plaire*. 2. Le médecin lui a dit qu'il *boire* trop de café. 3. Quant aux bons vins, il s'y *connaître* bien.

(c) au passé composé:

1. Ce café *plaire* à Robert tout à fait. 2. Après un succès éclatant, votre ami *connaître* de mauvais jours. 3. Partons, nous *boire* assez.

(d) au futur antérieur:

1. Lorsqu'il *boire* une consommation, il reviendra. 2. *Connaître*-il la misère? 3. Le roi a quitté la salle tout d'un coup: la pièce ne lui *plaire* pas.

(e) au conditionnel passé:

1. Si le garçon n'avait pas servi Robert en artiste, ce petit café ne lui *plaire* pas. 2. Si Robert n'avait pas été seul, il *boire* une bouteille de bourgogne. 3. Si ses amis ne lui étaient pas venus en aide, cet artiste *connaître* une misère noire.

II. Thème sur les verbes

1. Some think that camels drink only every seven days. 2. They couldn't sleep because they drank too much coffee last night. 3. When I reach Paris, I shall have to drink wine.[1] 4. He used to drink Évian water [2] when traveling in France. 5. All the students at the International House know one another. 6. I used to know her years ago. 7. Robert must get acquainted with Paris. 8. I am leaving [3]; this place does not please me. 9. I don't think it pleases you either. 10. Are you a good judge of beautiful women?

Exercices de grammaire

I. *A.* Traduire les mots entre parenthèses, et les mettre à la position convenable:

1. Où sont les plats du jour? — (*They*) voilà. 2. (*them to him*) Montrez. 3. (*them to me*) Ne montrez pas. 4. (*them*) Servez tout de suite. 5. (*some to her*) Passez. 6. (*some to me*) Elle n'a pas donné. 7. (*to him of it*) Avez-vous parlé? 8. (*them there*) Je ne trouve pas. 9. (*them to her*) Il a servi. 10. (*me some*) Passez.

B. Placez les mots entre parenthèses dans les phrases qui les suivent:

1. (ne... rien) Il y a à faire. 2. (rien) absolument. 3. (ne... personne) a répondu. 4. (ne... guère) Nous avons le temps d'y

---

[1] Necessity. [2] **de l'eau d'Évian.** [3] **s'en aller.**

aller.   5. (ne ... que) Il y a dix minutes avant le départ.   6. (ne ...
jamais) Il fume.   7. (ne ... personne) Il a vu.

II. Remplacer les mots en italique par les pronoms convenables:
1. J'éprouve parfois le désir de sortir *de mon trou*.   2. Il a eu la
gentillesse de m'indiquer *ce café*.   3. Envoyez-nous *les nouvelles*.
4. Il nous envoie *les nouvelles*.   5. Allez *chez Marianne*.   6. J'ai pris
le parti d'aller *chez Marianne*.   7. Y a-t-il *de bons cafés* à Paris?
8. Veuillez m'indiquer *de bons hôtels*.   9. Je peux vous indiquer *de
bons restaurants*.   10. Écrivez *à Robert* cette bonne nouvelle.   11. Ne
dites pas *à Jacques la mauvaise nouvelle*.   12. Il a écrit *les nouvelles à
ses amis*.   13. Il nous a servi *le dîner* en artiste.   14. Envoyez-moi *le
gérant*.   15. Je vous ferai voir *mes papiers*.

III. Thème grammatical

1. If you don't want to go there, tell me so (it). I don't care.   2. They
just told me the bad news. Don't tell it to them.   3. I don't want
to tell it to you.   4. What beautiful peaches! Pass me some, please.
5. Pass him some also.   6. I have had enough, thanks.   7. I don't
care for any more.   8. I shall see him as soon as I arrive there.
9. He asked me for them.   10. I looked for them but I couldn't find
them.   11. I bought only two gowns in Paris.   12. Who is there?
— Nobody.   13. What's the matter? — Nothing.   14. They (*f.*)
sat down suddenly and looked at each other in silence.   15. I have
all I need (*falloir*).   16. We looked everywhere but we saw nobody.

Thème d'imitation (facultatif)

1. Although the atmosphere at the Cité Universitaire is just what
Robert wants, he feels the desire to see what is going on in other
quarters.   Besides, he wants to see a café where there are only
Parisians.   2. He decides to speak to James Francis Mérie, who is
not only very well acquainted with Paris but is also an expert on
the subject of restaurants.   3. James said that he had just what I
wanted; that if I went to dine at "Chez Marianne" in the Montmartre section, I would be agreeably surprised.   4. The manager expressed his regret at having nothing to offer me in the way of a
table on the first floor.   I was about to leave when he said that his
best waiter, who worked on the second floor, would serve me like
an artist.   5. What a dinner and what service! In France, cooking
is nothing more or less than an art.   6. I said to him, "Waiter, I
can't eat any more, but believe me when I tell you that I have
never tasted anything so delicious in my life."   7. I had him call
the manager, who passed by from time to time.   8. When I asked
him for some information, he said he would be delighted to give me
some if he could.

36 . Stressed Personal Pronouns

37 . Comparison of Adjectives and Adverbs

DAILY VERBS:

courir, naître, battre

Le Tour de France

Cher Maître,

Vous souvenez-vous de ce voyage inoubliable que j'ai fait à Lourdes? Eh bien! Étant dans le Midi, j'ai voulu profiter de l'occasion pour aller rendre visite à mon camarade Claude Lévy qui demeure à Marseille. Vous vous rappelez Claude, n'est-ce pas? 5 C'est ce jeune Français, à la fois sympathique et distingué, qui, il y a quelques années, a fait des études à notre université. Je me sens fautif d'avoir omis de vous raconter cette visite qui en valait bien la peine. Elle m'a valu le plaisir de voir Claude ainsi que la chance de voir, de mes propres yeux, l'arrivée au Stade-Vélodrome de 10 Marseille des cyclistes de ce fameux « Tour de France ». Vous trouverez ci-inclus un extrait de mon journal qui vous dira comment cela s'est passé. Je vous prie de croire, mon cher Maître, à l'expression de mes sentiments les meilleurs.

Robert Martin

Le Tour de France

(Au Stade-Vélodrome de Marseille)

CLAUDE LÉVY. Nous voilà presque arrivés. C'est par ici. Nos places 15 sont dans la tribune Jean Bouin.

ROBERT MARTIN. Pourquoi a-t-on donné ce nom à cette tribune?

CLAUDE. Jean Bouin était un des grands coureurs français. C'est lui qui, de son vivant, a battu presque tous les records de course à pied. 20

ROBERT. C'est moi qui suis content d'apprendre cela. Marseille [1] doit être fière de son fils.

---

[1] There is a tendency in spoken French today to make the names of cities masculine. Etymologically, however, **Marseille** is feminine and the best usage maintains this.

La Bourboule offre un repos bien gagné aux cyclistes qui s'attaquent aux pentes raides des monts d'Auvergne. *(French Government Tourist Office)*

CLAUDE. Elle l'est, et à juste titre. Voici nos places. La banquette
est un peu plus dure qu'un fauteuil mais, n'importe! Nous serons
debout la plupart du temps. Maintenant jetons un coup d'œil
sur ce beau stade.

ROBERT. On ne saurait être mieux placé ni avoir une meilleure vue 5
sur la piste. Ce stade est magnifique. Il doit pouvoir contenir
30,000 personnes environ. Si ce que l'on me dit est vrai, c'est
le plus grand stade-vélodrome de France. Cependant, en dehors
de la piste destinée aux vélos, à quoi sert cet immense terrain
couvert de gazon qui se trouve au centre?   10

CLAUDE. C'est notre terrain de football. Mais attention! Ne le con-
fondez pas avec le football américain. Il n'y a absolument aucun
rapport entre les deux sports. Notre football, qui est le sport
national français, se joue à onze, avec un ballon rond et avec le
pied, ou même avec la tête.   15

ROBERT. J'espère bien avoir l'occasion d'assister à quelques matches
pendant l'année que je passerai à Paris.

CLAUDE. Il faut, à tout prix, que vous assistiez à quelques-uns de
ces matches qui, je vous assure, sont palpitants. Il nous reste
encore quelques minutes à attendre l'arrivée de la 15e étape du 20
« Tour de France » cycliste. Permettez-moi donc de vous donner
quelques renseignements sur cette course en particulier et sur le
cyclisme en général.

ROBERT. A la bonne heure! Car voilà une éternité que ce « Tour
de France » m'intrigue.   25

CLAUDE. C'est en 1861 que Pierre Michaux perfectionna l'antique
draisienne qui ne comprenait que le cadre et les roues, en y
ajoutant les pédales. Ainsi donc, la bicyclette était inventée et
le cyclisme naissait. Aussitôt « la petite Reine »[1] s'assura un
rapide succès et dès 1881 l'Union Vélocipédique de France or-   30
ganisait de nombreuses courses internationales dont la plus célèbre
est, sans contredit, le « Tour de France ». La course comprend
25 étapes, chiffre qui est variable chaque année.

ROBERT. Pardon, Claude, mais je voudrais savoir quel est le point
de départ de la course.   35

CLAUDE. Les coureurs partent de Paris. Voici l'itinéraire habi-
tuel. Il fait un crochet en Belgique, passe par la Normandie, la
Bretagne, la côte atlantique, les Pyrénées, le Languedoc et Marseille où les coureurs vont arriver d'un instant à l'autre. Ensuite,
après être passé par la côte d'Azur, il fait depuis quelques années 40
un crochet par l'Italie. Il y a tant de coureurs italiens que le
crochet par San-Remo a été nécessaire. Enfin, viennent les pénibles

---

[1] « La petite Reine » fut au début un surnom affectueux de la bicyclette et non
pas le nom d'une forme transitoire entre l'antique draisienne et la bicyclette
actuelle.

étapes des Alpes françaises et suisses, la Champagne et le retour
sur Paris. Les coureurs partent le matin à 9 heures de l'endroit où
ils ont dormi et roulent jusqu'à 5 heures, parcourant ainsi des
distances de plus de 300 kilomètres sans s'arrêter pour man-
5 ger.

ROBERT. Voilà une épreuve qui doit être pénible à accomplir, surtout
pendant plus de 25 jours.

CLAUDE. En effet, aussi y a-t-il de nombreux abandons en cours de
route.

10 ROBERT. Mais qui est-ce qui gagne la course? Est-ce celui qui
arrive le premier à Paris?

CLAUDE. Non. Le vainqueur du « Tour de France » est le coureur
qui a mis le moins de temps à couvrir « la grande boucle » après
avoir additionné ses temps pour chaque étape.

15 ROBERT. Ah, j'y suis maintenant. Mais écoutez donc ces cris au
dehors. Les premiers doivent arriver. La foule se lève anxieuse
de savoir qui est le vainqueur de cette étape. Le voici; il est tout
seul et noir de poussière. Qui est-ce?

CLAUDE. Attendez, je crois que c'est Goldshmitt, de l'équipe du
20 Luxembourg. Mais oui, c'est lui! Il termine la course sur la
piste, puis descend de vélo pour s'effondrer dans les bras de ses
soigneurs.

ROBERT. Qui sera le suivant? Un Français? Un Belge? Un
Suisse? Un Italien?

25 CLAUDE. Ces derniers sont particulièrement dangereux cette année
avec leur « Campionissimo » Fausto Coppi et son équipier Gino
Bartali qui remporta l'épreuve l'an dernier. Ce seront eux, je
crois, qui renouvelleront leur exploit cette année. Voici les suivants,
regardez, ce sont le Français Fachleitner et l'Italien Rossello, ils
30 se tiennent! Qui gagnera la place de second dans le sprint final?
Nous le saurons tout à l'heure. Regardons plutôt l'arrivée du
peloton en groupe compact. Il est mené par les Français Lazarides
et Robic. Quelle multitude de maillots multicolores sur lesquels
tranche le fameux « Maillot Jaune » porté par le premier au classe-
35 ment général. C'est Bartali qui le porte. Voilà, ils sont tous
descendus de vélo.

ROBERT. J'ai été très heureux d'assister à un spectacle aussi palpitant.
Je n'aurais franchement pas cru qu'une telle course puisse provoquer de si fortes émotions. Je viens de m'en rendre compte par
40 moi-même, car mon attention a rarement été retenue aussi intensé-
ment par un spectacle de ce genre.

CLAUDE. Pendant encore 25 jours, 42 millions de français ne parle-
ront que du « Tour de France » y compris ceux que le sport n'intéresse habituellement pas. C'est dire l'importance que prend
45 cette course du point de vue national.

ROBERT. J'aimerais déjà savoir qui sera le vainqueur, mais enfin, que le meilleur réussisse, voilà tout.

CLAUDE. Chacun pour soi et Dieu pour tous.

CHOIX D'EXPRESSIONS

à la bonne heure!	fine! great!
à juste titre	rightly so, justly so
à pied	on foot, foot . . .
de son vivant	in his lifetime, in his day
par ici	this way
à tout prix	at all costs
j'y suis	I get it, now I understand
n'importe	no matter
rendre visite	to pay a visit
tout à l'heure	shortly, in a little while
en valoir la peine	to be worth while

CHOIX D'EXERCICES I

I. Composition orale. En s'inspirant de la lettre, l'étudiant se préparera à dire quelques mots sur chacun des sujets suivants:

1. La visite à Marseille: trois raisons.
2. Le Stade-Vélodrome de Marseille; Jean Bouin; le nombre de personnes; la grandeur du stade; le terrain couvert de gazon.
3. Le football à la française; le désir de Robert.
4. Le cyclisme en général; Pierre Michaux; la « petite Reine »; L'Union Vélocipédique.
5. Le « Tour de France »; les étapes; le départ; l'itinéraire; le vainqueur.
6. L'arrivée des coureurs; l'aspect international de la course.
7. L'enthousiasme général.

II. Traduire en anglais les phrases suivantes:

1. C'est ce jeune Français, à la fois sympathique et distingué, qui, il y a quelques années, a fait des études à notre université. 2. Je me sens fautif d'avoir omis de vous raconter cette visite qui en valait bien la peine. 3. C'est lui qui, de son vivant, a battu presque tous les records de course à pied. 4. Marseille doit être fière de son fils. Elle l'est, et à juste titre. 5. La banquette est un peu plus dure qu'un fauteuil mais, n'importe! Nous serons debout la plupart du temps. 6. Cependant, en dehors de la piste destinée aux vélos, à quoi sert cet immense terrain couvert de gazon qui se trouve au centre? 7. Il faut, à tout prix, que vous assistiez à quelques-uns de ces matches qui, je vous assure, sont palpitants. 8. A la bonne

heure! Car voilà une éternité que ce « Tour de France » m'intrigue.
9. Ah, j'y suis maintenant. 10. Qui gagnera la place de second dans
le sprint final? Nous le saurons tout à l'heure.

MISE AU POINT GRAMMATICALE

Disjunctive

36. Stressed [1] Personal Pronouns

The stressed personal pronouns are used:

1. After prepositions:

avec **lui**, sans **elle**, chez **soi** [2]   with him, without her, at one's
                                                  house

2. When standing alone (absolute construction):

Qui sait la règle? — **Moi.**   Who knows the rule? — I (do).

3. After **c'est, ce sont,** or other forms of **ce + être:**

C'est **moi.**   It is I.
Ce sont (or C'est [3]) **eux.**   It is they.
C'était **elle.**   It was she.

4. In a compound subject or object:

Lui et **moi** (nous) sommes améri-   He and I are Americans.
cains.
Je les vois, **elle** et **lui.**   I see them, her and him.

5. As subjects when separated from the verb by any words except
ne, conjunctive object pronouns, and **y** and **en:**

Lui, aussi, est anglais.   He, also, is an Englishman.

6. In apposition, for emphasis:

(As subject:) **Moi,** je ne vois rien.   As for me, I see nothing.
(As direct object:) Je le vois, **lui.** I see *him.*
(As indirect object:) Je leur par-   I shall speak to *them.*
lerai, à **eux.**

7. After **penser,** [4] **songer,** and verbs of motion such as **venir,
courir,** etc.:

Il pense à **elle.**   He is thinking of her.
Il vient (court) à **moi.**   He comes (runs) to me.

---

[1] For table of stressed forms, see Unit IX.   [2] **Soi** is rarely used except in the
singular with an indefinite antecedent, such as **on, chacun,** etc.: **Chacun pour
soi,** *Everyone for himself.*   [3] Colloquial.   [4] **penser de,** *to have an opinion of;*
penser à, *to turn one's thoughts toward.*

8. As indirect object when the direct object is **me, te** (**moi** and **toi** after imperative affirmative), **se, nous, vous**:

Je vous présenterai à **elle**.	I shall introduce you to her.
Conduisez-moi à **eux**.	Take me to them.

37. Adjectives, Adverbs — Comparison

A. Formation:

joli(e), *pretty*	**plus joli(e)**, *prettier*	**le** (**la**) **plus joli(e)**, *prettiest*
joli(e), *pretty*	**moins joli(e)**, *less pretty*	**le** (**la**) **moins joli(e)**, *least pretty*
lentement, *slowly*	**plus lentement**, *more slowly*	**le plus lentement**, *most slowly*
lentement, *slowly*	**moins lentement**, *less slowly*	**le moins lentement**, *least slowly*

Note. The comparative of adjectives is regularly formed by adding **plus** or **moins** to the positive; the superlative, by adding **le** (**la** or **les**) **plus** or **le** (**la** or **les**) **moins** to the positive. Adverbs are compared like adjectives, but in the superlative forms the **le** is invariable (**le plus** or **le moins**).

B. Some adjectives and adverbs are compared irregularly:

bon, *good*	**meilleur,** *better*	**le meilleur,** *best*
mauvais, *bad*	**plus mauvais** ⎱ *worse* **pire** [1] ⎰	**le plus mauvais** ⎱ *worst* **le pire** ⎰
petit, *small*	**moindre** [2] ⎱ *smaller* **plus petit** ⎰	**le moindre** ⎱ *smallest* **le plus petit** ⎰
bien, *well*	**mieux,** *better*	**le mieux,** *best*
mal, *badly*	**plus mal** ⎱ *worse* **pis** ⎰	**le plus mal** ⎱ *worst* **le pis** ⎰
peu, *little*	**moins,** *less*	**le moins,** *least*
beaucoup, *much*	**plus,** *more*	**le plus,** *most*

C. Degrees of comparison

1. Comparative of superiority:

$$\textbf{plus} + \left\{ \begin{array}{l} \text{adjective} \\ \text{adverb} \end{array} \right\} + \textbf{que}$$

La France est **plus grande que** l'Italie.	France is larger than Italy.
L'avion va **plus vite que** le train.	The airplane goes faster than the train.

Note. In comparisons, the word *than* is translated by **que**.

[1] **Pire** as a comparative is scarcely used in the spoken language except in set and proverbial expressions.   [2] In importance or degree.

2. Comparative of equality:

$$\textbf{aussi} + \left\{ \begin{array}{l} \text{adjective} \\ \text{adverb} \end{array} \right\} + \textbf{que}$$

New-York est maintenant **aussi** | New York is now as large as Lon-
grand que Londres. | don.
Gaston parle **aussi bien que** | Gaston speaks as well as Paul.
Paul. |

3. Comparative of inferiority:

$$\textbf{moins} + \left\{ \begin{array}{l} \text{adjective} \\ \text{adverb} \end{array} \right\} + \textbf{que}$$

La France est **moins grande que** | France is smaller than the United
les États-Unis. | States.
Les élèves prononcent **moins** | The pupils do not pronounce so
bien que le professeur. | well as the teacher.

4. The word *than*, ordinarily expressed by **que**, commonly becomes **de** after **plus** or **moins** when followed by a numeral:

Il est plus jeune **que** moi. | He is younger than I.
But: Il a plus **de** vingt francs. | He has more than twenty francs.

D. Superlative:

le (**la** or **les**) + **plus** + adjective + **de**
le + **plus** + adverb

Ce train électrique français est **le** | This French electric train is the
plus rapide du monde. | fastest in the world.
Faites-moi savoir **le plus tôt que** | Let me know as soon as you can.
vous le pourrez. |

Note. **De** is used for *in* after a superlative.

DAILY VERBS

courir	courant	couru	cours	courus
(*run*)				
courrai	courais	avoir couru		courusse
courrais	PRES. IND.	cours, cours, court, courons, courez, courent		
	PRES. SUBJ.	coure, coures, coure, courions, couriez, courent		

(**parcourir,** *traverse*)

naître	naissant	né	nais	naquis
(*be born*)				
naîtrai	naissais	être né		naquisse
naîtrais	PRES. IND.	nais, nais, naît, naissons, naissez, naissent		
	PRES. SUBJ.	naisse, naisses, naisse, naissions, naissiez, naissent		

battre	battant	battu	bats	battis
(*beat*)				
battrai	battais	avoir battu		battisse
battrais	PRES. IND.	bats, bats, bat, battons, battez, battent		
	PRES. SUBJ.	batte, battes, batte, battions, battiez, battent		

CHOIX D'EXERCICES II

Exercices sur les verbes *courir*, *naître*, *battre*

I. Remplacer l'infinitif en italique par la forme convenable du verbe et traduire la phrase

(*a*) au présent:

1. Ils *courir* le plus vite possible. 2. Je *courir* chercher le médecin. 3. Les fleurs *naître* au printemps. 4. C'est souvent du hasard que *naître* l'opinion. 5. D'Artagnan se *battre* comme un lion. 6. Les mousquetaires se *battre* à l'épée.

(*b*) au passé composé:

1. Elle *naître* sous une bonne étoile. 2. La France *courir* un grand danger. 3. Vous ne *battre* pas bien les cartes.

(*c*) au plus-que-parfait:

1. S'il *courir* plus vite, il n'aurait pas manqué le train. 2. S'il se *battre* à l'épée, il en serait sorti vainqueur.

(*d*) au futur:

1. Dieu sait quand ils se *battre* à nouveau. 2. Ils *courir* le cerf demain de bonne heure. 3. De cette guerre *naître* d'autres guerres.

(*e*) au subjonctif passé:

1. Sous quelle mauvaise étoile faut-il qu'elle *naître*. 2. C'est dommage que votre cheval ne *courir* pas aujourd'hui. 3. Je suis désolée qu'ils se *battre* pour si peu de chose.

II. Thème sur les verbes

1. He ran to get there in time. 2. She will not run for (*après*) the train. 3. Henry IV, king of France, was born in the castle of Pau in 1553. 4. They fought for their fatherland. 5. Monsieur Perrichon is fighting with the major. 6. They beat the iron while it was hot.

Exercices de grammaire

I. Traduire en français les mots entre parenthèses et les placer dans la phrase:

A. 1. (*he*) C'est —— qui, de son vivant, a battu presque tous les records de course à pied. 2. (*me*) Voulez-vous faire une partie de tennis avec ——? 3. (*she*) Je sais jouer au tennis mieux qu'——. 4. (*they*) Ce sont —— qui ont remporté la victoire. 5. (*him*) Henri est venu me voir hier soir. Que pensez-vous de ——? 6. (*me*) Les enfants ont couru à —— pour se faire aider. 7. (*us, to him*) Voulez-vous —— présenter ——? 8. (*him to us*) Il a l'intention de —— présenter. 9. (*She and I*) —— jouons très bien ensemble. 10. (*to her*) Adressez-vous à —— si vous voulez que ce soit bien fait. 11. (*I*) Qui veut aller au match de tennis? ——. 12. (*himself*) Chacun pour —— et Dieu pour tous.

B. 1. (*the most popular*) Le football est —— de tous les sports. 2. (*better*) L'équipe de Paris est —— que celle d'Autriche. 3. (*better*) L'équipe de Paris joue —— que celle d'Autriche. 4. (*the best*) Les athlètes américains sont parmi —— du monde. 5. (*the most interesting*) Ce livre est —— que j'aie jamais lu. 6. (*the fastest*) Le train sur le parcours Paris-Lyon est —— du monde. 7. (*the largest*) Le Stade-Vélodrome de Marseille est —— de France. 8. (*as tall as*) La Tour Eiffel est —— quelques gratte-ciel de Chicago. 9. (*not so well as*) Charles parle —— sa sœur. 10. (*as well as*) Le professeur prononce —— un Français. 11. (*as often as*) Venez nous voir —— vous le pourrez. 12. (*most quickly*) Le temps passe —— lorsque l'on s'amuse bien.

II. Thème grammatical

A. 1. Who prefers to stay home and (*à*) read? — He does. 2. She and I will both attend the game. 3. Who wants to go to the game? — I do. 4. We hope that the French will play better than the Austrians. 5. As for them, they will leave for the match without her as she prefers to go to the theater. 6. We shall not be thinking of her during the game. 7. As for her, she is already thinking of her dresses. 8. It is not I who would spend Saturday afternoon (*à*) reading. 9. When I opened the letter, I read: "I am taking the liberty of introducing myself to you."

B. 1. The seats in the Jean Bouin stand are the best. 2. Jean Bouin, in his day, ran faster than all the other Frenchmen. 3. The weather was better yesterday. 4. A friend of Claude came to him to ask him a question. 5. Claude introduced me to him. 6. He was older than Claude. 7. He said that this stadium was the most beautiful in France. 8. The "Tour de France" is indisputably the most famous of all international events. 9. Today, tennis is less popular than football. 10. Even an electric train goes more slowly than an airplane.

Thème d'imitation (facultatif)

1. I remember very well that never-to-be-forgotten trip you took to Lourdes.   2. You said that, since you were in the South, you thought you ought (*devoir*) to avail yourself of the opportunity to go pay a visit to Claude Lévy in Marseilles.   3. Isn't he the one who studied at our university a few years ago?   — Yes, he's the one. 4. This trip was decidedly worth while, for (*conj.*) I had the pleasure of seeing with my own eyes this famous "Tour de France."   5. This way, please.   Our seats are in the Jean Bouin grandstand.   — Why was it given that name?   — During his lifetime Jean Bouin broke almost all track-meet records.   — Oh, now I understand.   6. Marseilles is proud of him, and rightly so.   — I am glad to know that. 7. We must attend, at all costs, some of these football games, which are really very exciting.   8. The racers will arrive shortly and you will be able to see who is the winner of the lap.   — Fine!

38 . Interrogative Adjectives

39 . Interrogative Pronouns

40 . Interrogative Word Order

DAILY VERBS:

conduire, suivre, mourir, valoir

Le Maréchal Foch

EXTRAIT DU JOURNAL DE ROBERT MARTIN

(*Robert vient d'arriver chez M. Coquery.*)

ROBERT MARTIN. Bonjour, monsieur. J'ai bien reçu votre *pneu* [1] et me voilà. Je vous demande pardon, mais de quoi s'agit-il?

M. COQUERY. Je suis ravi que vous ayez reçu mon petit mot, car il s'agit d'un événement dont on entendra parler dans le monde
5 entier.

ROBERT. Qu'est-ce que c'est?

M. COQUERY. Je vais vous le dire. C'est aujourd'hui l'anniversaire de l'armistice.

ROBERT. Lequel?

10 M. COQUERY. L'armistice qui, le onze novembre 1918, vint mettre fin à la Grande Guerre (1914–1918).

ROBERT. Ah! J'y suis maintenant.

M. COQUERY. Cette année-ci, la cérémonie qui a lieu à l'occasion de cet anniversaire revêt un caractère tout particulier.

15 ROBERT. Qu'est-ce qui va se passer?

M. COQUERY. Le président de la République doit inaugurer une statue équestre de Ferdinand Foch.

ROBERT. J'ai honte de paraître si peu au courant de l'histoire moderne, mais qui est ce monsieur, au juste? Qu'est-ce qu'il a fait
20 pour mériter ce grand honneur?

---

[1] A folded single sheet, glued around the edges, which is sold by the post office and transmitted by pneumatic tube to any part of Paris. It is equivalent to our special delivery but is restricted to the Paris area. "Express" letters are dispatched to and from any town in France.

Le Palais de Chaillot complète harmonieusement la belle perspective du Champ-de-Mars et de la Tour Eiffel. (*French Government Tourist Office*)

M. COQUERY. C'est peut-être la plus grande figure militaire des temps
modernes: Foch, maréchal de France, de Grande-Bretagne et de
Pologne. En 1918, il devint général en chef des Armées Alliées
qu'il conduisit à la victoire.

5 ROBERT. En effet. Je m'en souviens maintenant. Pourrais-je savoir
à quel endroit cette cérémonie doit avoir lieu?

M. COQUERY. C'est sur la place du Trocadéro, face à l'heureuse perspective du Champ-de-Mars, que va se dérouler la cérémonie.
Cette perspective est splendidement complétée par celle, non moins
10 harmonieuse, du Palais de Chaillot où se réunissent de temps en
temps les membres de l'Organisation des Nations Unies (O. N. U.).

ROBERT. A quelle heure?

M. COQUERY. A quatre heures. Il est, à présent, deux heures. A
mon avis, il vaudrait mieux que nous partions sans tarder, autre-
15 ment nous aurions de la peine à nous approcher de la statue et vous
manqueriez une scène des plus émouvantes.

ROBERT. C'est ça! Partons!

La Cérémonie

Quatre heures. La voiture présidentielle vient d'arriver. C'est
avant le défilé des Anciens Combattants et des troupes qu'a lieu
20 l'inauguration de la grandiose statue élevée à la gloire du général
en chef des Armées Alliées de la Grande Guerre (1914–1918). Le
président vient de dévoiler le socle recouvert du drapeau tricolore.
Sur ce socle on peut lire: « Foch, Maréchal de France, de Grande-
Bretagne et de Pologne » souligné des sept étoiles de maréchal. A
25 ce moment retentissent les premiers accents de la musique du 85^e
régiment d'infanterie qui rend les honneurs. C'est alors que débouche sur la place du Trocadéro, aux sons de « La Madelon » [1] jouée
par la Garde Républicaine de Paris, le cortège impressionnant des
Anciens Combattants de la Grande Guerre. Vient ensuite un détache-
30 ment de grands mutilés allongés ou assis dans leur voiture, la poitrine
bardée de décorations où, à côté du ruban rouge de la Légion d'honneur, sont épinglées dans une symphonie de couleurs les médailles
rouges et vertes de la Croix de Guerre, vertes et jaunes de la Médaille
militaire. Et pour la première fois depuis de longues années une
35 section de « poilus » de la Grande Guerre, dans leur célèbre et glorieux
uniforme bleu horizon, passent devant la tribune officielle pour rendre
un vivant hommage au maréchal qui les avait conduits à la victoire.
Ils sont suivis par une mer de drapeaux portés par les représentants
de toutes les armes.

40 « Sambre et Meuse » a remplacé les accents connus de « La Made-

[1] French song dating from the First World War (1914–1918).

lon », tandis que s'avancent les représentants des nations alliées: les Anciens Combattants anglais de la *Royal Air Force* et de la *British Legion* précèdent le glorieux drapeau de l'*American Legion* et ceux des Anciens Combattants belges, italiens, polonais et tchécoslovaques. 5

Aux applaudissements de la foule et au défilé multicolore qui vient de nous ravir les yeux, va succéder un silence religieux; dans quelques instants va avoir lieu le lever des couleurs devant la statue du maréchal. Le « Présentez armes » a retenti et les héros anonymes de la Grande Guerre avec leurs frères d'armes de toutes les nations 10 alliées saluent les trois couleurs qui montent au mât aux sons de « La Marseillaise ».

Monsieur Jacquinot, ministre de la France d'Outre-Mer et membre du Comité National du Centenaire du maréchal Foch, prend alors la parole. Dans un vigoureux discours, il rappelle, à grands traits, la 15 vie ardente de ce grand soldat, les étapes glorieuses de sa carrière et rappelle le mot célèbre du maréchal Foch: « Au-dessus de la guerre, il y a la paix ».

C'est alors que commence le défilé des troupes « d'aujourd'hui ». Un détachement de l'armée britannique, en battle-dress kaki, béret 20 bleu marine à plume blanche, ouvre la marche. Viennent ensuite les soldats de l'armée belge, mitraillette en bandoulière, ceinture et guêtres blanches; puis c'est la présentation impeccable du détachement de G. I.'s américains — uniforme kaki, portant les demi-bottes et le casque blanc — qui, aux sons d'une marche militaire améri- 25 caine, rendent aujourd'hui hommage à celui qui avait commandé leurs pères. Les troupes françaises ferment la marche. A leur tête, la grande voiture du Général Follioux passe devant la statue du maréchal tandis que s'incline le drapeau tricolore et que les officiers saluent du sabre. Et c'est enfin le groupe en rangs serrés des jeunes 30 officiers des grandes écoles militaires: Polytechnique, Saint-Cyr, Navale et l'École de l'Air.

Tandis que se séparait le peuple de Paris encore tout ému de cette manifestation qui, pour certains, était douloureuse, pour d'autres vivifiante, je repensais à ce que le ministre venait de souligner 35 quelques minutes auparavant, que « dans la paix, Foch avait été aussi grand que dans la guerre ». J'espérais que ce pourrait être une leçon pour ceux qui, en ce moment, s'efforcent de travailler pour un avenir heureux.

CHOIX D'EXPRESSIONS

s'agir de	to concern, be a question of
il s'agit de	it concerns, it is a question of
de quoi s'agit-il ?	what is it all about ?

avoir honte (de)	to be ashamed
avoir lieu	to take place
avoir de la peine (à)	to have difficulty (in)
demander pardon	to beg pardon
je vous demande pardon	I beg your pardon
entendre parler	to hear about
être au courant (de)	to be informed (about)
valoir mieux	to be better
il vaudrait mieux	it would be better

CHOIX D'EXERCICES I

I. Questionnaire. L'étudiant se préparera à répondre aux questions suivantes:

1. Pourquoi Robert s'est-il présenté chez M. Coquery? 2. De quel événement s'agit-il? 3. De qui le président de la République doit-il inaugurer une statue? 4. De quelle guerre parle-t-on ici? 5. A quel endroit la cérémonie doit-elle avoir lieu? 6. Pourquoi vaudrait-il mieux que M. Coquery et Robert partent sans tarder? 7. Que peut-on lire sur le socle de la statue? 8. Qu'est-ce que « La Madelon »? 9. De quelles décorations parle-t-on ici? 10. Qui les porte? 11. Qu'est-ce qu'un poilu? 12. Qu'est-ce qui a remplacé les accents connus de « La Madelon »? 13. Qu'a-t-on chanté lorsque le drapeau tricolore montait au mât? 14. Qui a ensuite pris la parole? 15. Qu'a-t-il dit? 16. Que pouvez-vous dire du défilé des troupes d'aujourd'hui? 17. Quelles paroles du maréchal Foch a-t-on citées ici? 18. Qu'avez-vous éprouvé en lisant le récit de cette manifestation émouvante?

II. Traduire en anglais les phrases suivantes:

1. Il s'agit d'un événement dont on entendra parler dans le monde entier. 2. Qu'est-ce qui va se passer? 3. J'ai honte de paraître si peu au courant de l'histoire moderne, mais qui est ce monsieur, au juste? 4. En effet. Je m'en souviens maintenant. 5. Pourrais-je savoir à quel endroit cette cérémonie doit avoir lieu? 6. A mon avis, il vaudrait mieux que nous partions sans tarder; autrement nous aurions de la peine à nous approcher de la statue et vous manqueriez une scène des plus émouvantes. 7. Le Président vient de dévoiler le socle recouvert du drapeau tricolore. 8. C'est alors que débouche sur la place du Trocadéro, aux sons de « La Madelon » jouée par la Garde Républicaine de Paris, le cortège impressionnant des Anciens Combattants de la Grande Guerre (1914–1918). 9. Dans un vigoureux discours, monsieur Jacquinot rappelle, à grands traits, la vie ardente de ce grand soldat, les étapes glorieuses de sa carrière

et rappelle le mot célèbre du maréchal Foch: « Au-dessus de la guerre, il y a la paix ». 10. Puis c'est la présentation impeccable du détachement de G. I.'s américains qui rendent aujourd'hui hommage à celui qui avait commandé leurs pères. 11. J'espérais que ce pourrait être une leçon pour ceux qui, en ce moment, s'efforcent de travailler pour un avenir heureux.

MISE AU POINT GRAMMATICALE

38. Interrogative Adjectives

	MASCULINE	FEMININE
SINGULAR	**quel**	**quelle**
PLURAL	**quels**	**quelles**

A. Before a noun:

Quel temps fait-il?	How is the weather?
Quels verbes faut-il étudier?	What verbs must be studied?
Quelles nouvelles?	What news?
Quelle heure est-il?	What time is it?

B. As predicate adjective:

Quel est cet homme?	Who is that man?
Quelle est votre maison?	Which is your house?
Quelle est la capitale de la France?	What is the capital of France?

39. Interrogative Pronouns

A. Invariable:

	PERSONS	THINGS
SUBJECT	**qui,** *who*	**qu'est-ce qui,** *what*
	(qui est-ce qui)	
OBJECT	**qui,** *whom*	**que,** *what*
	(qui est-ce que)	**(qu'est-ce que)**
AFTER A PREPOSITION	**qui,** *whom*	**quoi,** *what*

Note. (1) The interrogative pronoun **qui** refers to persons. (2) The interrogative pronoun **que** refers to things. **Quoi** is the stressed form of **que.** (3) The long form often gives a more harmonious sentence. The verb is not inverted whenever a long form is used:

Qu'allez-vous faire? }
Qu'est-ce que vous allez faire? } What are you going to do?

1. **qui?** *who? whom?*

Qui parle?	Who is speaking?
Qui avez-vous vu?	Whom did you see?
De **qui** parlait-il?	Of whom was he speaking?
Chez **qui** êtes-vous allé?	To whose house did you go?

Note. **Qui,** *who, whom,* is regularly used of persons, as subject, object, and after prepositions.

A qui est cette bicyclette?	Whose bicycle is this?
De qui êtes-vous le frère?	Whose brother are you?

Note. *Whose* is expressed by **à qui** denoting ownership, and **de qui** denoting relationship.

2. **que?** *what?*

Que voulez-vous?	What do you wish?
Que sera la réponse?	What will be the answer?
Qu' est-il devenu?	What has become of him?

Note. **Que** means *what* and is used of things, as object or predicate nominative.

3. **quoi?** *what?*

De **quoi** parle-t-elle?	What is she speaking about?
Entendez-vous cela? — **Quoi?**	Do you hear that? — What?

Note. **Quoi,** *what,* is used of things after prepositions or when standing alone.

4. Long forms [1]

(a) **Qu'est-ce qui?** *what?*

Qu'est-ce qui est arrivé?	What has happened?

Note. **Qu'est-ce qui** is the only form used as the subject of a verb other than **être.**

(b) **Qui est-ce qui?** *who?*

Qui est-ce qui a pris mon stylo?	Who (in the world) has taken my pen?

Note. **Qui est-ce qui** is the emphatic form of **qui** used as subject.

(c) **Qui est-ce que?** *whom?*

Qui est-ce que vous cherchez?	Whom are you looking for?

---

[1] These locutions are frequently used in current French. They are more emphatic than the simple interrogative pronouns.

Note. **Qui est-ce que** is used for **qui** as the object of a verb when referring to a person.

(*d*) **Qu'est-ce que?** *what?*

Qu'est-ce qu'il veut savoir?   What does he want to know?

Note. **Qu'est-ce que** is used for **que** as the object of a verb when referring to a thing.

Qu'est-ce que...? qu'est-ce que c'est que...? *what is...?*

Qu'est-ce que la liberté?	What is liberty?
Qu'est-ce que c'est que ça?	What (sort of a thing) is that?
Qu'est-ce que c'est que le Louvre?	What is the Louvre?

Note. **Qu'est-ce que** or **qu'est-ce que c'est que** is used when a definition or an explanation is requested.

B. Variable:

lequel, laquelle (lesquels, lesquelles)? *which one(s)?*

Lequel de ces chapeaux vous plaît le mieux?	Which one of these hats pleases you most?
Laquelle a-t-il vue?	Which one did he see?
Auxquels de ces soldats parle-t-il?	To which of these soldiers is he speaking?

Note. **Lequel,** etc., *which one,* is used of persons and things as subject, direct object, and after prepositions, when one is required to make a choice. **De** and **à** contract with **le, les,** thus forming **duquel, desquels,** and **auquel, auxquels.**

40. Interrogative Word Order

A. Verb + subject:

Sont-ils à Paris?   Are they in Paris?

Note. Subject pronouns, as in English, follow the verb.

B. Subject + verb + pronoun:

Les provinces françaises ne sont-elles pas riches de leur passé?   Are not the French provinces rich from an historic point of view?

Note. Subject names usually precede the verb and are repeated after it in the form of a pronoun.

C. After certain interrogative words:

Que dit M. Coquery?	What does Mr. Coquery say?
A qui est ce chapeau?	Whose hat is this?

Combien coûte cela? *or* **Combien**   How much does that cost?
cela coûte-t-il?

Note. After certain interrogative words, such as **que, qui, quel, combien, comment, où, quand, à qui, de qui, de quoi, à quelle,** etc., the subject generally follows the verb.

D. **Est-ce que; n'est-ce pas:**

Est-ce que je devrais accepter cette invitation?	Ought I to accept this invitation?
Est-ce que Robert Martin doit passer une année en France?	Is Robert Martin to spend a year in France?
Il est content d'y aller, **n'est-ce pas?**	He is glad to go there, isn't he? (Yes.)

Note. Affirmative sentences may be made interrogative by placing **Est-ce que** before the sentence. **Est-ce que** is usually used if the subject is **je.** Similarly, **n'est-ce pas?** (*is it not so?*) may be used after an affirmative sentence with interrogative force, but in this case an affirmative reply is assumed.

E. Parenthetical clauses — rhetorical effect:

Son père, dit-il, demeure au Canada.	His father, he says, lives in Canada.
Peut-être y irons-nous demain.	Perhaps we shall go there tomorrow.

Note. The inverted word order is used also in parenthetical clauses, and very commonly for rhetorical effect after certain adverbs and adverbial locutions, such as **ainsi, à peine, au moins, aussi, bientôt, encore, peut-être, toujours,** etc.

F. Phonetic **t:**

A-t-il acheté des allumettes?	Did he buy some matches?
Parle-t-il bien?	Does he speak well?

Note. If a verb ending in a vowel is followed by the pronoun **il, elle,** or **on,** a **−t−** is placed between the verb and pronoun.

DAILY VERBS

conduire   conduisant   conduit   conduis   conduisis
   (*conduct, lead*)
conduirai   conduisais   avoir conduit   conduisisse
conduirais PRES. IND.   conduis, conduis, conduit, conduisons, conduisez, conduisent
          PRES. SUBJ.   conduise, conduises, conduise, conduisions, conduisiez, conduisent

     (**traduire,** *translate;* **construire,** *construct;* **détruire,** *destroy*)

suivre (*follow*)	suivant	suivi	suis	suivis
suivrai	suivais	avoir suivi		suivisse
suivrais				

PRES. IND.   suis, suis, suit, suivons, suivez, suivent
PRES. SUBJ.   suive, suives, suive, suivions, suiviez, suivent

mourir (*die*)	mourant	mort	meurs	mourus
mourrai	mourais	être mort		mourusse
mourrais				

PRES. IND.   meurs, meurs, meurt, mourons, mourez, meurent
PRES. SUBJ.   meure, meures, meure, mourions, mouriez, meurent

valoir (*be worth*)	valant	valu	il vaut	il valut
il vaudra	il valait	avoir valu		il valût
il vaudrait				

PRES. IND.   il vaut, ils valent
PRES. SUBJ.   il vaille, ils vaillent

CHOIX D'EXERCICES II

Exercices sur les verbes *conduire, suivre, mourir, valoir*

I. Remplacer l'infinitif en italique par la forme du verbe qui convient

(*a*) au présent:

1. Le colonel *conduire* le régiment américain.   2. Où nous *conduire*-vous?   3. Je ne suis pas ce que je *suivre*.   4. Allez.   Nous vous *suivre*.   5. Je *mourir* de faim.   6. Vous *mourir* de soif.   7. Ils *mourir* d'envie d'assister à ce beau défilé.   8. Il *valoir* mieux penser avant de prendre la parole.

(*b*) au passé composé:

1. Antoine, au lieu de ralentir, *conduire* sa voiture à tombeau ouvert.
2. Vous ne le *suivre* pas, bien entendu.   3. Il *mourir* avant l'arrivée du médecin.   4. Cette visite me *valoir* le plaisir de voir Claude Lévy.

(*c*) au passé simple:

1. Foch *conduire* ses soldats à la victoire.   2. Le maréchal *mourir* en 1929.   3. Les Anciens Combattants *suivre* le cortège funèbre.
4. Tous ses faits glorieux lui *valoir* le bâton de maréchal.

(*d*) au futur:

1. Nous *mourir* tous un jour.   2. Je crois qu'il *valoir* mieux attendre jusqu'à demain avant de prendre un parti.

(e) au subjonctif présent:

1. Où voulez-vous que je vous *conduire?* 2. Il vaut mieux qu'il *suivre* un cours de littérature.

II. Thème sur les verbes

1. "Where are you taking me?" asked Robert. "To the Palace of Chaillot," replied Mr. Coquery. 2. Mr. Coquery said: "I think it is better to leave at once." 3. They followed this advice. 4. Mr. Coquery took Robert to the subway station. 5. Although Mr. Coquery drives well, he thought it would be better to go to the Palace of Chaillot by the subway. 6. Foch was born in (à) Tarbes. When he died, he was buried under the "Dôme des Invalides." 7. Marshal Foch led his troops to victory. 8. Robert is taking the courses his teacher told him to take. 9. He will die of shame if he fails. 10. When love dies, all is over. 11. A father doesn't want his children to die. 12. The little girl died for lack of care.

Exercices de grammaire

I. Traduire en français les mots entre parenthèses et les placer dans la phrase:

1. (*Who*) —— a envoyé un *pneu* à Robert? 2. (*What*) —— disait le *pneu?* 3. (*what*) De —— s'agit-il? 4. (*what*) De —— événement s'agit-il? 5. (*Whom*) —— attend-il? 6. (*Whom*) —— M. Coquery attend? 7. (*whom*) Avec —— Robert assistera-t-il à cette manifestation? 8. (*What*) —— est la date de cet armistice? 9. (*Who, emphatic*) —— conduisit les troupes alliées à la victoire? 10. (*What*) —— a fait ça? 11. (*Which one*) —— a fait le discours? 12. (*What*) —— voulez-vous qu'il fasse? 13. (*Which one*) —— de ces statues est la plus belle? 14. (*What*) —— voyez-vous là-bas? 15. (*What*) —— vous voyez là-bas? 16. (*What*) —— va se passer là-bas? 17. (*What*) —— va-t-il se passer?

II. Exercice sur l'ordre des mots

A. Écrire les phrases suivantes à la forme interrogative (2 formes):

1. Ils vont en France. 2. Le maréchal Foch n'est pas la plus grande figure militaire des temps modernes. 3. J'aimerais beaucoup visiter les provinces françaises. 4. Paris est le foyer où depuis des siècles se forment les gens instruits. 5. Vous allez bien.

B. Thème

1. Good morning, said she, as she entered. 2. Soon spring will come. 3. He had scarcely taken ten steps when (*que*) he fell to the ground. 4. What is he talking about? 5. Whose car is this? 6. Where did

he say we should meet? 7. You know where we are to meet, don't
you? 8. Consequently, he is very displeased. 9. What does Mr.
Coquery think of this event? 10. How is he?

III. Thème grammatical

1. What caused that? 2. I don't know what caused that. 3. What
can I say of the event? 4. What do you want me to say? 5. Which
of the two cities do you prefer: Paris or London? 6. What is it
all about? 7. What are you looking at? [1] 8. Whom are you looking
at? [1] 9. Whom are you looking for? 10. What are you waiting for?
11. What is he doing? 12. Who in the world said that? 13. What
is that Greek statue? 14. What's the use of studying? 15. What
are the four seasons? 16. What is Democracy? 17. What is that?
— What? That? 18. It is the Palace of Chaillot. 19. Which of
these places do you prefer? 20. Whose auto is this?

Thème d'imitation (facultatif)

1. I am ashamed to confess my ignorance, but what is this all
about? 2. A very impressive ceremony is going to take place near
the Palace of Chaillot at four o'clock. 3. At what time is it better
for us to leave? 4. If we don't leave at once, we shall have difficulty
in seeing the inauguration of the statue of Marshal Foch. 5. I beg
your pardon, but wouldn't it be better to take the subway? 6. That's
an idea and, on the way, I'll recall for you the historical events of
World War I. 7. Since you have never heard of Marshal Foch, I'll
tell you a little about his life. 8. I remember having heard my
uncle talk of him, but I have completely forgotten what he said.

[1] Both ways.

U N I T XII

41 . The Articles

42 . Prepositions with Names of Cities, Islands, Countries, etc.

DAILY VERBS:

craindre, cueillir, fuir, ouvrir

Au Café de la Paix

EXTRAIT DU JOURNAL DE ROBERT MARTIN

Le général Desbareau, dont mon oncle avait eu le plaisir de faire la connaissance aux États-Unis, il y a quinze ans, a bien voulu m'inviter à prendre le thé avec lui. Bien entendu, je me suis empressé de me rendre à son aimable invitation, car être invité par un
5 Français aussi distingué, ancien commandant de la Légion Étrangère, est un grand honneur. Alors vers cinq heures de l'après-midi, le cœur léger, je me suis dirigé vers le Café de la Paix qui se trouve place de l'Opéra, en plein centre de Paris. Le général, qui m'attendait depuis quelques minutes, m'a accueilli avec une courtoisie toute
10 française.

LE GÉNÉRAL. C'est très aimable à vous de m'avoir signalé votre présence à Paris et d'avoir bien voulu venir passer un moment avec moi.
ROBERT. Mais, c'est moi, mon général, qui devrais vous en savoir
15 gré.
LE GÉNÉRAL. Vous vous exprimez très bien, mon jeune ami. Vous aimeriez sans doute mieux parler français plutôt que l'anglais.
ROBERT. C'est si bon d'entendre le français de Paris, car au Quartier Latin on entend toutes sortes d'accents.
20 LE GÉNÉRAL. Alors, c'est entendu. Nous allons continuer la conversation en français. A tout prendre, je crois que cela vaudra mieux, car je crains que mon anglais (ne) laisse un peu à désirer. Pardon! mais j'ai un peu mal à la tête. Dites donc, maître d'hôtel, faites nous servir deux thés légers avec des brioches, s'il vous plaît.
25 LE MAÎTRE D'HÔTEL. Tout de suite, mon général.

Je me suis dirigé vers le Café de la Paix qui se trouve place de l'Opéra,
en plein centre de Paris. (*French Government Tourist Office*)

LE GÉNÉRAL. Votre présence ici, mon jeune ami, évoque le souvenir
de ce voyage inoubliable que j'ai fait en Amérique du Nord, il y a
à peu près quinze ans. C'est à ce moment-là que j'ai fait la connaissance de votre oncle. Si je ne me trompe, il devait écrire une
5 série d'articles sur la civilisation française.

ROBERT. Vous avez parfaitement raison, mon général, et c'est à
cause de cette visite en France que mon oncle m'a offert l'occasion
de passer cette année à Paris.

LE GÉNÉRAL. A la bonne heure! Excusez mon indiscrétion mais
10 qu'est-ce qui a poussé votre oncle à prendre ce parti?

ROBERT. Au cours de son séjour en France, mon oncle, dont je suis
le neveu préféré, avait été tellement impressionné par la culture
et la civilisation françaises que, dès son retour, il a formé le projet
de me faire passer une année ici, aussitôt que je serais à même
15 d'en profiter.

LE GÉNÉRAL. Je ne saurais vous dire à quel point tout cela m'intéresse,
d'autant plus que je me doute que, quand vous serez de retour en
Amérique, vous serez un aussi bon ambassadeur de la France que
votre oncle.

20 ROBERT. Vous pouvez y compter, mon général, car les quatre mois
que j'ai passés en France m'ont déjà ouvert des horizons culturels
enchanteurs.

LE GÉNÉRAL. Ma foi! Voilà quatre mois que vous êtes à Paris!
Est-ce possible? Comme le temps fuit! J'aurais voulu vous voir
25 il y a longtemps, mais malheureusement, j'ai dû me rendre en
Espagne, au Portugal et en Afrique du Nord avec une mission
militaire. Il y a huit jours que je suis de retour à Paris après avoir
passé quinze jours en Suisse romande à me reposer des fatigues de
cette mission importante.

30 UNE MARCHANDE DE FLEURS (*qui passe, criant*). De jolies roses
soixante-quinze francs la douzaine!

ROBERT. Ce n'était qu'un plaisir remis. Je tiens à vous dire, mon
général, combien j'ai été sensible à votre aimable invitation à vous
rencontrer ici. Cette rencontre fera le plus grand plaisir à mon
35 oncle, qui avait à cœur que je fasse votre connaissance surtout à
cause de votre bonté à son égard.

LE GÉNÉRAL. J'étais bien content de l'aider puisque sa mission
m'intéressait infiniment. Mais, j'y pense! Quelle heure est-il?

ROBERT. Il est six heures.

40 LE GÉNÉRAL. Déjà! Je suis désolé de vous quitter mais il faut que
je m'en aille. Nous devons avoir du monde à dîner ce soir. Quel
jour de la semaine sommes-nous?

ROBERT. C'est aujourd'hui mardi, je crois.

LE GÉNÉRAL. Bon! Nous sommes toujours chez nous le vendredi.
45 Voulez-vous nous faire le plaisir d'être des nôtres vendredi soir?

Nous dînerons à huit heures. Ma femme sera ravie de faire votre connaissance. De plus, vous aurez, il me semble, quelque intérêt à voir ma collection de curiosités.

ROBERT. Merci de tout cœur, mon général. Je me réjouis, d'avance, de cette soirée. 5

LE GÉNÉRAL. A vendredi, alors.

ROBERT. C'est entendu, mon général.

(*Poignée de main*)

CHOIX D'EXPRESSIONS

aimer mieux	to prefer
à peu près	almost, just about
à tout prendre	everything considered
avoir à cœur que	to have one's heart set on
bien entendu	of course, naturally
c'est entendu	all right, it is understood
être des nôtres	to be with us, join us
j'y pense	by the way, come to think of it
laisser à désirer	to leave something to be desired, leave room for improvement
savoir gré (de)	to be grateful (for)

CHOIX D'EXERCICES I

I. Composition orale. En s'inspirant du texte, l'étudiant se préparera à dire quelque chose sur chacun des sujets suivants:

1. Le général Desbareau; son voyage; l'oncle de Robert; l'invitation; l'histoire du général; le rendez-vous.
2. La rencontre; les remerciements de part et d'autre; le français de Robert; l'anglais du général.
3. Le thé et les brioches.
4. Les souvenirs du général.
5. Le rôle de l'oncle dans le voyage de Robert; pourquoi?
6. L'intérêt du général dans le projet.
7. Les excuses du général; ses voyages.
8. Nouveaux remerciements de la part de Robert; pourquoi?
9. L'invitation à dîner; l'heure; les regrets du général; il fixe le rendez-vous; la femme du général.
10. Adieux.

II. Traduire en anglais les phrases suivantes:

1. Bien entendu, je me suis empressé de me rendre à son aimable invitation. 2. Le général, qui m'attendait depuis quelques minutes,

m'a accueilli avec une courtoisie toute française. 3. C'est moi, mon général, qui devrais vous en savoir gré. 4. Alors, c'est entendu. Nous allons continuer la conversation en français. A tout prendre, je crois que cela vaudra mieux, car je crains que mon anglais (ne) laisse un peu à désirer. 5. Votre présence ici évoque le souvenir de ce voyage inoubliable que j'ai fait en Amérique du Nord, il y a à peu près quinze ans. 6. Qu'est-ce qui a poussé votre oncle à prendre ce parti? 7. Je ne saurais vous dire à quel point cela m'intéresse, d'autant plus que je me doute que, quand vous serez de retour en Amérique, vous serez un aussi bon ambassadeur de la France que votre oncle. 8. Je tiens à vous dire, mon général, combien j'ai été sensible à votre aimable invitation à vous rencontrer ici. Cette rencontre fera le plus grand plaisir à mon oncle, qui avait à cœur que je fasse votre connaissance. 9. Mais, j'y pense! 10. Voulez-vous nous faire le plaisir d'être des nôtres vendredi soir?

MISE AU POINT GRAMMATICALE

41. The Articles

A. Table of the definite and indefinite articles:

	MASCULINE	FEMININE	PLURAL
the	le, l'	la, l'	les
of the	du, de l'	de la, de l'	des
to the	au, à l'	à la, à l'	aux
a, an	un	une	(des)

B. Articles are generally repeated before each noun to which they refer, and agree in gender and number with the noun:

Le (Un) roi et la (une) reine d'An- The (A) king and queen of Eng-
gleterre   land

C. The definite article occurs in French:

1. Before a noun used in a general or inclusive sense (collective and abstract nouns, and class names):

Les Américains aiment le pain   Americans like French bread.
français.

Le charbon est cher à Paris.   Coal is dear in Paris.

La liberté ou la mort.   Liberty or death.

2. Before titles of dignity or profession preceding proper nouns, and before a proper noun preceded by an adjective:

| le président Washington, le gé-
néral Foch, le petit François | President Washington, General
Foch, little Francis |

But, in direct address [1]:

| Bonjour, docteur. | Good day, Doctor. |
| Bonjour, petite Hélène. | Good morning (afternoon), little
Helen. |

3. Before the name of a geographical division (continent, country, province, rivers, mountains, etc.), unless it is feminine and preceded by **en** meaning *to* or *in*, by **de** meaning *from*, or by **de** meaning *of* in an adjectival phrase:

l'Europe (*f.*), l'Amérique (*f.*), la France, les États-Unis (*m.*), le Canada, le Mexique, le Portu- gal, la Louisiane	Europe, America, France, the United States, Canada, Mexico, Portugal, Louisiana
Je demeure au Canada (*m.*); il demeure en France (*f.*).	I live in Canada; he lives in France.
Le roi du Danemark (*m.*) arrive du Mexique (*m.*).	The king of Denmark (*adjectival phrase*) arrives from Mexico.
But: Le roi d'Angleterre (*f.*) vient d'Europe.	The king of England (*adjectival phrase*) comes from Europe.
Le mont Blanc	Mt. Blanc
La Seine	the Seine

4. With parts of the body instead of a possessive adjective:

| J'ai mal à la tête. | I have a headache. |
| Elle s'est lavé les mains. | She washed her hands. |

5. Before the name of a language unless preceded by the preposition **en**. It is also ordinarily omitted if the verb **parler** immediately precedes the name of the language:

C'est si bon d'entendre le français de Paris.	It is so nice to hear Parisian French.
Nous allons continuer la conver- sation en français.	We are going to continue the con- versation in French.
Robert parle français assez cou- ramment.	Robert speaks French quite fluently.

6. For *a* or *an* (in prices) before nouns of quantity and measure:

| Les œufs, cent francs la douzaine. | Eggs, one hundred francs a dozen. |
| Les cerises, vingt-cinq francs la
livre. | Cherries, twenty-five francs a
pound. |

[1] If, for reasons of courtesy, **monsieur, madame,** etc., precede a title the definite article is retained even in direct address — **Bonjour, monsieur le général.**

Par is commonly used for *a* or *an* in expressions of time:

Les bateaux partent quatre fois **par** semaine.

The boats leave four times a week.

7. Before days of the week to express a regular occurrence and before names of seasons unless preceded by **en**:

Nous allons à l'église **le** dimanche.
But: Il viendra me voir dimanche.

We go to church on Sunday.
He will come to see me Sunday.

L'automne est beau en France, mais il fait trop froid **en** hiver.

Autumn is beautiful in France, but it is too cold in winter.

42. Prepositions with names of cities, islands, countries, etc.

A. To express the idea of *to, at,* or *in* with names of cities or islands use the preposition **à**:

Nous allons **à** Paris.
Nous avons débarqué **à** Marseille.
La Havane se trouve **à** Cuba.

We are going to Paris.
We landed at Marseilles.
Havana is in Cuba.

Special cases:

au Havre (Le Havre); **à la** Haye; **au** Caire (le Caire); **à la** Nouvelle-Orléans; **à la** Havane; **à la** Rochelle

in (at *or* to) Le Havre; at The Hague; in Cairo; in New Orleans; in Havana; in La Rochelle

B. Prepositions with names of countries

1. To express the idea of *to* or *in* with the name of a feminine country use the preposition **en**. Countries whose names end in **e**, with the exception of **le Mexique**, are feminine:

Paris est **en** France.
Il va **en** Italie.

Paris is in France.
He is going to Italy.

2. To express the idea of *to* or *in* with names of countries beginning with a vowel use **en**:

en Iran; **en** Afghanistan; **en** Irak

to Iran; in Afghanistan; in Iraq

3. The name of a country not ending in **e** is masculine. To express the idea of *to* or *in* with the name of a masculine country use **au**. For countries whose names are plural use **aux**.

Il demeure **au** Japon.
Il est allé **aux** États-Unis.
Il alla **au** Maroc Oriental.

He lives in Japan.
He went to the United States.
He went to Eastern Morocco.

4. To express the idea of *in* or *to* before the names of ancient provinces use **en** regardless of gender:

en Picardie; **en** Dauphiné; **en** Limousin; **en** Artois	in Picardy; in Dauphiné; to Limousin; in Artois

5. In the case of modified names of geographical divisions, current usage shows a definite swing away from the traditional rule of **dans** + the article to **en** without the article, especially when the adjective has ceased to play a distinctive role:

en Amérique du Sud	in South America
en Afrique du Nord	in North Africa
en Amérique du Nord	in North America
en Suisse romande	in French Switzerland
en Afrique française	in French Africa
en Asie Mineure	in Asia Minor
en Belgique flamande	in Flemish Belgium
en Arabie Séoudite (Saoudite)	in Saudi Arabia
dans la chaude Asie	in hot Asia
dans la France Libre	in Free France
dans la sèche Afrique	in dry Africa

DAILY VERBS

craindre   craignant   craint   crains   craignis
  (*fear*)
craindrai   craignais   avoir craint   craignisse
craindrais   PRES. IND.   crains, crains, craint, craignons, craignez, craignent
             PRES. SUBJ.   craigne, craignes, craigne, craignions, craigniez, craignent

(**plaindre**, *pity;* **éteindre**, *extinguish;* **peindre**, *paint;* **(re)joindre**, *join*)

cueillir   cueillant   cueilli   cueille   cueillis
  (*gather, pick*)
cueillerai   cueillais   avoir cueilli   cueillisse
cueillerais   PRES. IND.   cueille, cueilles, cueille, cueillons, cueillez, cueillent
              PRES. SUBJ.   cueille, cueilles, cueille, cueillions, cueilliez, cueillent

(**accueillir**, *welcome, receive;* **recueillir**, *collect, gather*)

fuir   fuyant   fui   fuis   fuis
  (*flee*)
fuirai   fuyais   avoir fui   fuisse
fuirais   PRES. IND.   fuis, fuis, fuit, fuyons, fuyez, fuient
          PRES. SUBJ.   fuie, fuies, fuie, fuyions, fuyiez, fuient

ouvrir	ouvrant	ouvert	ouvre	ouvris
(*open*)				
ouvrirai	ouvrais	avoir ouvert		ouvrisse
ouvrirais	PRES. IND.	ouvre, ouvres, ouvre, ouvrons, ouvrez, ouvrent		
	PRES. SUBJ.	ouvre, ouvres, ouvre, ouvrions, ouvriez, ouvrent		

(**couvrir**, *cover;* **découvrir**, *find;* **offrir**, *offer;* **souffrir**, *suffer*)

CHOIX D'EXERCICES II

Exercices sur les verbes *craindre, cueillir, fuir, ouvrir*

I. Remplacer l'infinitif en italique par la forme convenable du verbe et traduire la phrase

(*a*) au présent ou à l'impératif:

1. Je *craindre* qu'il (ne) fasse mauvais demain.   2. Que *craindre*-vous? — Rien.   3. Les soldats américains ne *craindre* rien.   4. Le général *accueillir* Robert avec une courtoisie toute française.   5. La générale Desbareau *cueillir* des fleurs pour la table.   6. Les poltrons *fuir* le danger.   7. Comme le temps *fuir!*   8. Tout est perdu. *Fuir!* (*Let us ...*)   9. Il *ouvrir* les yeux tout grands.   10. Je vous *offrir* toutes mes excuses.

(*b*) à l'imparfait:

1. Il se *plaindre* toujours.   2. Les troupes ennemies *fuir* devant Napoléon.   3. Ils *cueillir* des roses lorsque je les ai vus.

(*c*) au passé composé:

1. Elle se *plaindre* de leur conduite.   2. Je *éteindre* la lumière.   3. Les Français *accueillir* les troupes américaines chaleureusement.   4. Il *fuir* le regard de sa mère.   5. L'oncle de Robert lui *offrir* l'occasion de passer une année en France.   6. Nous *ouvrir* la fenêtre parce qu'il faisait trop chaud.

(*d*) au futur:

1. L'été prochain Paris *accueillir* des centaines de milliers d'Américains.   2. Lorsqu'il reviendra, nous lui *offrir* un apéritif.

(*e*) au subjonctif présent:

1. Croyez-vous que ces soldats *fuir* devant l'ennemi?   2. Il ne faut pas que je *craindre* qui que ce soit.   3. Je ne veux pas que vous *souffrir* à cause de moi.

II. Thème sur les verbes

1. They fled before the enemy because they feared death.   2. They complain that they can't sleep.   3. They are afraid of not being

able to make themselves understood. 4. Do not pity them. 5. He must not fear the examination.[1] 6. Mr. Perrichon is meditating. 7. Soldiers who lack courage flee right away. 8. Let us flee this heat. 9. I offered her a box of candy. 10. She opened it and began to eat some.

Exercices de grammaire

I. Remplacer les tirets, s'il y a lieu, par les expressions convenables.

1. —— général Desbareau a fait un voyage —— Amérique du Nord.
2. Il a étudié —— anglais avant de partir. 3. Il s'est embarqué —— Havre. 4. Pendant la traversée, il avait souvent mal à —— tête. 5. Les bateaux partent deux fois —— semaine. 6. Après avoir voyagé —— Canada, il est allé —— États-Unis. 7. Il a passé quelques jours —— New-York, —— Washington et —— Nouvelle-Orléans. 8. —— été prochain il ira —— Amérique du Sud. 9. Robert est arrivé —— France il y a quatre mois. 10. Le général vient de passer quinze jours —— Suisse. 11. Avant cela, le général a dû se rendre —— Portugal et —— Afrique du Nord avec —— mission militaire. 12. Robert a étudié —— français —— Amérique. 13. Maintenant il parle —— français couramment. 14. Il écrit à son ancien professeur —— français. 15. Il a payé —— vin deux cents francs —— litre. 16. —— fruits sont chers —— France. 17. —— petit François aime —— bonbons. 18. —— Américains aiment —— liberté.

II. Thème grammatical

1. I have just returned from England. Next week I expect to go to Switzerland. 2. They say that Switzerland is beautiful in winter. 3. After that, I shall spend a few weeks in Morocco. 4. When the general went off to the United States, he was anxious to study its civilization. 5. Robert arrived in Paris four months ago. 6. The general sent for the headwaiter. 7. He ordered some tea because he had a headache. 8. Robert prefers to hear good Parisian French. 9. Robert wants to learn how to speak French. 10. Little Babette likes to eat cakes. 11. Eggs cost 150 francs a dozen. 12. The general went to North Africa. 13. He spent a week in Algeria. 14. Then he returned to Paris.

Thème d'imitation (facultatif)

1. Robert is anxious to meet the general whose acquaintance his uncle made in the United States about fifteen years ago. 2. Robert is grateful to the general for (de) having invited him to have tea at

---

[1] Use **falloir.**

the Café de la Paix. 3. Of course, Robert eagerly accepted the invitation of this great man. 4. When Robert said that he would prefer to speak French, the general replied: "All right. Everything considered, that is better, because my English leaves something to be desired. I haven't spoken it for a long time." 5. The general recalls very well the visit of Robert's uncle, who [1] was to [2] write a series of articles about French civilization. 6. Thanks to this visit, the uncle conceived the idea of giving Robert the opportunity of spending a year in France. 7. Naturally the uncle had his heart set on Robert's making the general's acquaintance. 8. Suddenly the general said: "How time flies! Come to think of it! May we have the pleasure of your company Friday evening? We are always at home on Fridays."

[1] **lequel.**   [2] **devoir.**

43 . Omission of both the Definite and Indefinite Article

44 . Omission of the Indefinite Article

45 . **faire** + Infinitive (Causative)

DAILY VERBS:

asseoir, vivre, suffire, vaincre

Une Soirée à la française

EXTRAIT DU JOURNAL DE ROBERT MARTIN

Il était à peine sept heures et demie, lorsque je me suis présenté
chez le général Desbareau comme c'était entendu. Le général se
promenait dans son jardin. C'était un homme qui, malgré ses
soixante-quinze ans, paraissait en avoir soixante.

LE GÉNÉRAL. Bonsoir, mon jeune ami, soyez le bienvenu! Entrez 5
donc je vous prie.

ROBERT. Bonsoir, mon général. Je crains d'être arrivé trop tôt.

LE GÉNÉRAL. Au contraire nous aurons le temps de prendre un
apéritif avant le dîner. D'ailleurs, il vaut toujours mieux arriver
de bonne heure, n'est-ce pas?   10

ROBERT. Je suis tout à fait de votre avis, mon général.

LE GÉNÉRAL (*au salon*). Asseyez-vous donc et faites comme chez
vous. La générale doit descendre d'un moment à l'autre. Justement la voilà! (*A sa femme*) Permets-moi de te présenter M.
Robert Martin. Il est américain mais il sait très bien s'exprimer 15
en français.

LA GÉNÉRALE. Je suis d'autant plus heureuse de faire votre
connaissance, monsieur, que nous avons eu le plaisir de recevoir
votre oncle lors de son séjour en France.

ROBERT. De mon côté, madame, je suis ravi car bien des fois mon 20
oncle a parlé de votre gentillesse à son égard.

LA GÉNÉRALE. M. Martin s'exprime en vrai Parisien, n'est-ce pas,
mon ami?

LE GÉNÉRAL. Je te l'ai bien dit.

La cour de Rohan, Paris. Bien des Parisiens habitent les vieilles maisons qui se trouvent entre le boulevard Saint-Germain et la Seine. (*French Government Tourist Office*)

ROBERT. Vous êtes trop aimable, madame.

(*La bonne est entrée apportant l'apéritif.*)

LA GÉNÉRALE. Puis-je vous offrir quelque chose, monsieur: Dubonnet, Vermouth, St.-Raphaël?

ROBERT. Volontiers, madame. Dubonnet, je vous prie. Depuis que je suis à Paris, j'y prends goût.

LE GÉNÉRAL. Tu le vois bien, mon amie. M. Martin s'est vite fait Parisien.

ROBERT. Je me suis laissé facilement vaincre par le charme des coutumes françaises.

LA BONNE. Madame est servie.

LA GÉNÉRALE. Encore un tout petit peu, monsieur?

ROBERT. C'est délicieux, mais cela me suffit. Merci.

LA GÉNÉRALE. Mettons-nous à table alors.

* * *

Quel dîner succulent! Rien que d'y songer me fait venir l'eau à la bouche. Le dîner terminé, nous sommes passés au salon où la bonne attendait pour nous servir le café et les liqueurs. Bien que n'ayant ni faim ni soif, je n'ai pu refuser cette marque de l'hospitalité française. Mais le général, se doutant que j'avais envie de voir sa collection de curiosités, m'a prié, aussitôt le café fini, de le suivre dans la pièce voisine qui était pleine d'objets divers qu'il avait rapportés de tous les pays du monde. Il y avait là armes à feu, sabres, bouddhas, boîtes japonaises, reliques, bibelots, etc.

ROBERT. Tiens! Quel beau livre vous avez là, mon général!

LE GÉNÉRAL. C'est une édition de luxe de *Cyrano de Bergerac*, drame d'Edmond Rostand. J'en suis très fier car je le tiens de la main de l'auteur lui-même qui a eu la gentillesse d'y écrire une dédicace. De plus, c'est mon ancien ami Constant Coquelin, le plus grand acteur français, qui a créé le rôle de Cyrano. Mais voici quelque chose qui m'est infiniment précieux. C'est un chapeau offert par Napoléon Premier, Empereur des Français (1804–1814), à mon arrière-grand-père, son aide de camp, qui a suivi les aigles impériales jusqu'à Moscou, il y a plus de cent ans.

ROBERT. Comme vous avez raison d'y tenir, mon général!

Le général était en train de me faire voir son souvenir le plus précieux, c'est-à-dire, une épée en or qu'il avait reçue comme cadeau des soldats de la Légion Étrangère, quand tout à coup on a sonné à la porte. C'était le fils du général accompagné de sa femme. Ce fils était commandant d'infanterie, décoré de la Médaille militaire avec de nombreuses citations pour sa bravoure pendant la Seconde Guerre Mondiale (1939–1945). Sa figure portait bien l'empreinte des heures d'angoisse qu'il avait vécues pendant cette triste époque de

l'histoire de France.   Actuellement il est officier instructeur à l'École
militaire de Saint-Cyr.

LE COMMANDANT.   J'ai peur de vous déranger, mais j'avais besoin de
parler à mon père un instant afin de lui demander un renseignement.
5   J'avais beau essayer de lui téléphoner, on ne répondait pas, alors
nous avons fait un saut jusqu'ici en voiture.

LE GÉNÉRAL.   Tu n'as pas eu tort de venir car je voulais justement te
présenter M. Robert Martin, un étudiant américain.   Il vient
d'Amérique mais à son parler, on le dirait Parisien.

CHOIX D'EXPRESSIONS

à (son) égard	to (him)
avoir . . . ans	to be . . . years old
avoir beau + *inf.*	to do something in vain [1]
avoir faim (soif, tort)	to be hungry (thirsty, wrong)
de bonne heure	early
de (mon) côté	for (my) part
Je vous l'ai bien dit.	I told you so.
être en train de + *inf.*	to be busy, be in the act of
faire voir	to show
faites comme chez vous	make yourself at home
se mettre à table	to sit down (to eat)
soyez le bienvenu !	welcome !
(encore) un tout petit peu	just a little (more)

CHOIX D'EXERCICES I

I. Composition orale.   En s'inspirant du texte, l'étudiant se préparera à dire quelque chose sur chacun des sujets suivants:

1. L'arrivée de Robert chez le général; l'heure; l'accueil; la
   situation; la présentation; la réponse de la générale; les remerciements de Robert; les compliments d'usage.
2. L'apéritif; la politesse.
3. Le dîner terminé; au salon; l'hospitalité française.
4. La collection de curiosités; les bibelots; les livres; la dédicace;
   Cyrano de Bergerac; le chapeau; l'épée.
5. L'arrivée du fils du général; ce qu'il fait; ses titres; le but de
   sa visite; la réponse du père.

II. Traduire en anglais les phrases suivantes:

1. C'était un homme qui, malgré ses soixante-quinze ans, paraissait
en avoir soixante.   2. Bonsoir, mon jeune ami, soyez le bienvenu !

---

[1] This idiom requires a counterbalancing clause.

Entrez donc, je vous prie, et faites comme chez vous. 3. Il vaut toujours mieux arriver de bonne heure. 4. Je suis d'autant plus heureuse de faire votre connaissance que nous avons eu le plaisir de recevoir votre oncle lors de son séjour en France. 5. M. Martin s'exprime en vrai Parisien, n'est-ce pas? —Je te l'ai bien dit. 6. Mettons-nous à table. 7. Rien que d'y songer me fait venir l'eau à la bouche. 8. Bien que n'ayant ni faim ni soif, je n'ai pu refuser cette marque de l'hospitalité française. 9. Mais le général, se doutant que j'avais envie de voir sa collection de curiosités, m'a prié de le suivre dans la pièce voisine. 10. Le général était en train de me faire voir son souvenir le plus précieux quand tout à coup on a sonné à la porte. 11. J'avais beau essayer de lui téléphoner, on ne répondait pas. 12. Tu n'as pas eu tort de venir car je voulais justement te présenter M. Robert Martin.

MISE AU POINT GRAMMATICALE

43. The definite and indefinite articles are both omitted:

A. Before a noun in parenthetical apposition:

George V, roi d'Angleterre	George the Fifth, king of England
Cyrano de Bergerac, drame d'Edmond Rostand	*Cyrano de Bergerac*, a drama by Edmond Rostand

The article is retained when the noun in apposition distinguishes, contrasts, or compares (especially when it has an adjectival modifier):

Nous lisons *Cyrano de Bergerac*, **le** meilleur drame d'Edmond Rostand.	We are reading *Cyrano de Bergerac*, the best drama of Edmond Rostand.
Nous sommes à Paris, **la** plus belle capitale du monde.	We are in Paris, the most beautiful capital in the world.

B. In condensed sentences, such as advertisements, titles of books, addresses, proverbs, and enumerations:

Magasin à louer	Store to rent
Grammaire française	A French grammar
Liberté, égalité, fraternité	Liberty, Equality, Fraternity
Je demeure boulevard Saint-Michel, au 18.	I live at number 18 Boulevard Saint-Michel.
A quelque chose malheur est bon.	It's an ill wind that blows no one good.
J'ai mis toutes les choses sur votre table: plumes, crayons, cahiers, enveloppes, encre, papier buvard.	I put all the things on your table: pens, pencils, exercise books, envelopes, ink, blotting paper.

C. After **de** denoting a point of departure before feminine names of countries:

> Ce vin vient de France.   This wine comes from France.

Remark. This construction is found most frequently after **arriver, partir, venir.**

D. Generally after the preposition **en:**

> en France, en français, en hiver, en   in France, in French, in winter, on
> mer, en ville, en automobile   the sea, in town, by automobile

There are exceptions to this rule, such as:

> en l'air, en l'honneur, en l'absence,   in the air, in honor, in the absence,
> en l'an, en l'espèce, en l'église   in the year, in this case, in the
>   church

E. After a preposition when the sense is undetermined:

> une robe de soie   a silk dress
> rempli d'eau   filled with water

44. The indefinite article is omitted:

A. Before a predicate noun used in an adjectival sense, denoting membership in a class (nationality, profession, religion, etc.):

> Robert est américain; son oncle est   Robert is an American; his uncle
> journaliste.   is a newspaperman.
> M. Mauriac est catholique.   Mr. Mauriac is a Catholic.
> Le père de Toulouse-Lautrec était   The father of Toulouse Lautrec was
> comte.   a count.

The article is retained when the predicate noun is modified or is preceded by **c'est, ce sont,** etc.[1]:

> Robert est un étudiant américain.   Robert is an American student.
> Le fils du général est un soldat qui The general's son is a soldier who
> aime le métier.   loves the profession.

B. Before a noun used as a predicate objective:

> On l'a nommé ambassadeur.   They appointed him ambassador.

C. Before **cent,** *a hundred,* and **mille,** *a thousand:*

> J'ai payé ces fleurs cent dix francs.   I paid one hundred and ten francs
>   for these flowers.
> Voulez-vous me prêter mille francs?   Will you lend me a thousand francs?

D. In exclamations after **quel(le),** *what a:*

> Quelle belle automobile!   What a beautiful automobile!

[1] See § **49,** page 162.

E. After **comme:**

comme cadeau   as a present

F. With **ni . . . ni,** *neither . . . nor:*

Il n'a ni père ni mère.   He has neither father nor mother.

G. Special group with **avoir:**

J'ai faim,[1] etc.   I'm hungry, etc.

45. *Faire* + infinitive (causative)

Le général va **faire voir** sa collection de curiosités à Robert. — The general is going to show Robert (*cause him to see*) his collection of curios.

La domestique **a fait entrer** Robert. — The maid let Robert in (*caused him to enter*).

Le professeur **a fait écrire** une composition aux élèves. — The teacher had the pupils write a test.

Il le leur **a fait écrire.** — He had them write it.

Note. **Faire** adds a causative force to a following infinitive and has the meaning *have, make, cause,* or *cause to be.* If the direct object of this construction is a thing, then the personal object becomes indirect.

1. The most used combinations of **faire** + the infinitive are:

faire attendre, *to keep waiting*   **faire faire,** *to have made*
se faire comprendre, *to make*   **faire savoir,** *to let know*
  oneself understood   **faire venir,** *to send for*
faire entrer, *to show (let) in*   **faire voir,** *to show*

2. To avoid any possible ambiguity, **par** may be used instead of an indirect object:

Le père fit raconter toute l'histoire **par** son fils. — The father had his son tell the whole story.[2]

DAILY VERBS

asseoir	asseyant	assis	assieds	assis
(*set, seat*)				
assiérai	asseyais	avoir assis		assisse
assiérais	PRES. IND.			

PRES. IND.   assieds, assieds, assied, asseyons, asseyez, asseyent

PRES. SUBJ.   asseye, asseyes, asseye, asseyions, asseyiez, asseyent

Less frequent forms: PRES. PART. assoyant; PRES. IND. assois; PRES. SUBJ. assoie; IMPERFECT assoyais; FUT. assoirai *and* asseyerai, etc.

(Practice the reflexive form **s'asseoir,** *seat oneself, sit down.*)

[1] See page 39.   [2] Otherwise it might mean "to his son."

vivre	vivant	vécu	vis	vécus
(*live*)				
vivrai	vivais	avoir vécu		vécusse
vivrais PRES. IND.	vis, vis, vit, vivons, vivez, vivent			
PRES. SUBJ.	vive, vives, vive, vivions, viviez, vivent			

suffire	suffisant	suffi	suffis	suffis
(*suffice*)				
suffirai	suffisais	avoir suffi		suffisse
suffirais PRES. IND.	suffis, suffis, suffit, suffisons, suffisez, suffisent			
PRES. SUBJ.	suffise, suffises, suffise, suffisions, suffisiez, suffisent			

vaincre	vainquant	vaincu	vaincs	vainquis
(*conquer*)				
vaincrai	vainquais	avoir vaincu		vainquisse
vaincrais PRES. IND.	vaincs, vaincs, vainc, vainquons, vainquez, vainquent			
PRES. SUBJ.	vainque, vainques, vainque, vainquions, vainquiez, vainquent			

CHOIX D'EXERCICES II

Exercices sur les verbes *asseoir, vivre, suffire, vaincre*

I. Remplacer l'infinitif en italique par la forme convenable du verbe et traduire la phrase

(*a*) à l'impératif:

1. *Asseoir*-nous en attendant l'arrivée des coureurs. 2. *Vivre* la France! 3. *Vivre* les soldats américains! 4. *Vaincre* nos rivaux!

(*b*) au présent:

1. Ils s'*asseoir* sur la banquette. 2. Je m'*asseoir* n'importe où.[1]
3. Il *vivre* toujours dans la mémoire de ses amis. 4. Je *vivre* de mes rentes. 5. Les Français *vivre* de peu. 6. Merci, ça *suffire*. 7. Pour que tout s'harmonise, les fleurs *suffire*. 8. Il *vaincre* tous les obstacles.
9. Ils *vaincre* toutes les résistances.

(*c*) au passé composé:

1. Comme j'étais fatigué, je me *asseoir* sans hésiter. 2. Il *vivre* longtemps à Paris. 3. Un seul coup d'œil me *suffire*. 4. Ses émotions le *vaincre*.

(*d*) au subjonctif présent:

1. Je tombe de fatigue. Il faut que je m'*asseoir*.[2] 2. De quoi voulez-vous que je *vivre?* 3. Il n'y a pas moyen que cela me *suffire*. 4. Il vaut mieux qu'elle *vaincre* sa frayeur.

---

[1] Give two forms.   [2] Use two forms.

II. Thème sur les verbes

1. We sat down in the lobby of the Fondation des États-Unis.
2. I said to her: "Sit down beside me." 3. She sat down as she
was very tired. 4. Henry the Fourth, king of France, was born in
the Castle of Pau in 1553. He lived fifty-seven years. 5. He still
lives in the hearts of the French. 6. The King is dead! Long live
the King! 7. The French live on (de) little. 8. The teacher said,
"That is sufficient for today," and the class went out. 9. We are
afraid that the enemy will conquer our forces. 10. Napoleon conquered almost all of Europe. 11. He has conquered this fault.
12. Our team has conquered our rival team.

Exercices de grammaire

I. Remplacer les tirets, s'il y a lieu, par les expressions convenables:

1. Il est —— commandant. 2. Quelle —— belle voiture! 3. Edmond Rostand est —— auteur qui est bien connu —— États-Unis.
4. Robert parle —— français. 5. Mon père m'a donné —— mille
francs comme —— cadeau. 6. Il sait très bien s'exprimer ——
français. 7. *Notre-Dame de Paris*, —— roman de Victor Hugo.
8. Tout le monde aime *Les Misérables*, —— meilleur roman de
Victor Hugo. 9. Robert va passer une année —— Paris. 10. C'est
—— excellent musicien. 11. Nous aimons —— musique. 12. Ils
étudient —— français deux fois —— semaine —— hiver. 13. C'est
—— soldat qui aime son métier. 14. Cette bicyclette vient ——
Angleterre. 15. Le Café de la Paix se trouve —— place de l'Opéra.
16. C'est une statue en —— honneur —— maréchal Foch. 17. On
l'a nommé —— maréchal. 18. Il fait froid. Je vais mettre une robe
—— laine.

II. Thème grammatical

1. He needed water because he was thirsty. 2. We shall not be
afraid to go to France because we are busy studying French, the
most beautiful language in the world. 3. You are right in wanting
to visit Paris, the capital of France. What a beautiful city! 4. I
feel like reading *Les Trois Mousquetaires*, a novel by Alexandre Du-
mas. 5. Let us have Liberty, Equality, Fraternity. 6. General
Desbareau went first to North Africa, then to Iran, and finally to
Saudi Arabia. 7. Just look! There is Mr. Coty, the President of
the French Republic. 8. The Fourteenth of July is a celebration in
honor of the taking of the Bastille, the famous state prison. 9. This
wine comes from Spain. 10. What is the matter with her? — She
has a toothache. 11. I am ashamed to confess it, but I am cold

even in spring.   12. You are wrong not to study more.   13. She
went upstairs to change her [1] dress.   14. The general has just arrived
from Switzerland.   15. Robert is an American.   16. He is an American who knows how to speak French well.   17. General Desbareau
is a distinguished Frenchman.   18. They are doctors.   19. How
many are [2] one thousand and one hundred?   20. He gave me a
watch as a present.

Thème d'imitation (facultatif)

1. Robert arrived early and found the general taking a stroll in
his garden.   2. Although the general is seventy-five years old, he
appears to be sixty.   3. He receives Robert warmly, saying: "Welcome to our house.   Do be seated.   Make yourself at home."   4. The
general's wife was all the more happy to meet Robert because she
had had the pleasure of receiving his uncle, the American journalist,
years ago.   5. When his wife said that Robert expressed himself like
a Parisian, the general said: "I told you so."   6. For his part,
Robert has come under the spell of French customs.   7. The general
was anxious to show Robert his collection of curios, especially a gold
sword that he had received as a gift from the soldiers of the Foreign
Legion.   8. Suddenly his son arrived, accompanied by his wife.
9. He needed to ask his father for some information.   10. He had
tried unsuccessfully to telephone to his father, but was not able to
reach him.

[1] **changer de.**   [2] **faire.**

46 . Partitive Construction

47 . Days, Months, Seasons

DAILY VERBS:

pleuvoir, résoudre

L'Opéra et l'Opéra-Comique

ROBERT (*s'adressant au général*). Puisque le commandant a des renseignements à vous demander, peut-être vaudrait-il mieux que je me retire?

LE GÉNÉRAL. Rien ne presse. Nous avons assez de temps pour cela, mon jeune ami. D'ailleurs, la soirée ne fait que commencer. 5

LA GÉNÉRALE. Pourquoi ne pas mettre M. Martin au courant de la surprise que tu lui réserves?

LE GÉNÉRAL (*s'adressant à Robert*). Eh bien, voilà. J'attends tout à l'heure l'arrivée d'un vieil ami, M. Guérin, que j'aurai grand plaisir à vous présenter. M. Guérin fait partie de l'orchestre de l'Opéra- 10 Comique depuis trente ans. Il vous dira deux mots au sujet de l'Opéra et de l'Opéra-Comique. Ensuite, M. Guérin fera de la musique et puis madame Desbareau nous offrira de ses gâteaux, du champagne et des fruits. J'espère qu'il y en a, mon amie?

LA GÉNÉRALE. Mais certainement. Il y en a toujours. 15

LE GÉNÉRAL. Alors, qu'en dites-vous, mon jeune Parisien?

ROBERT. Mais c'est une véritable soirée de gala, mon général!

LE GÉNÉRAL. Tiens! On sonne. C'est lui, Guérin. Je reconnais sa main. (*Ouvrant la porte*) Bonsoir, cher ami. Entre donc. Tu as apporté ton violon. Ça, c'est gentil. 20

On voit entrer un homme qui a l'air d'avoir environ soixante ans, très distingué, aux yeux vifs et à la barbe blanche.

(*Présentations.*)

LE GÉNÉRAL. Je disais à notre jeune ami que tu voudrais bien lui parler un peu de la carrière musicale. Cela l'intéresse particulière- 25 ment.

ROBERT. Si vous le vouliez bien, monsieur, je vous en saurais infiniment gré.

La Garde Républicaine rend les honneurs au président de la République descendant le grand escalier de l'Opéra. (*French Government Tourist Office*)

M. GUÉRIN. Avec le plus grand plaisir, monsieur, mais peut-être vaudrait-il mieux que je vous parle tout d'abord du Conservatoire National de Musique et de Déclamation? C'est une école nationale sous la direction du ministère de l'Éducation Nationale.[1] Cette école a pour but l'enseignement de la musique vocale et 5 instrumentale, de l'art dramatique et de la danse.

ROBERT. Pardon, monsieur, les élèves doivent-ils payer l'instruction?

M. GUÉRIN. Au contraire, monsieur, l'instruction est gratuite, mais on n'y entre pas comme cela. L'admission est uniquement par voie de concours. Bien entendu, j'ai commencé à étudier le violon 10 dès mon plus jeune âge. Peu à peu, je me suis perfectionné au point de pouvoir me présenter au concours. Grâce à ma bonne étoile, je suis entré au Conservatoire. C'est là, en effet, qu'il a fallu que je fasse des études sérieuses. Bien des fois, je doutais de ma compétence. Pourtant, au bout de deux ans, j'étais suffisam- 15 ment bon pour pouvoir concourir pour le prix. J'ai eu la chance de décrocher un Premier Prix, la première fois que je me suis présenté, ce qui a décidé de ma carrière musicale. J'ai été immédiatement engagé comme premier violon à l'Opéra-Comique, l'un des quatre théâtres nationaux. De même que l'Opéra, ce théâtre est sous la 20 direction du ministre de l'Éducation Nationale. Comme il est subventionné par le gouvernement et ainsi affranchi de soucis financiers d'ordre dominant, il est à même non seulement d'entretenir le goût du public pour la bonne musique classique mais encore peut-il développer et guider ce goût dans des voies nouvelles. 25

ROBERT. Pourriez-vous me dire en quoi consiste la différence entre l'Opéra et l'Opéra-Comique, car j'ai vu jouer *Carmen* à celui-ci et ce n'est pas précisément comique, *Carmen*. D'ailleurs, la plupart des Américains croient que l'Opéra-Comique veut dire « *Comic Opera* ». 30

M. GUÉRIN. Eh bien! Voici, monsieur. A l'Opéra, le fond de chaque pièce est une tragédie et toutes les paroles sont chantées tandis qu'à l'Opéra-Comique souvent il y a des éléments divertissants et parfois une partie du dialogue est parlée. Par exemple, le répertoire de l'Opéra comprend des chefs-d'œuvre tels que *Faust*, 35 *Les Huguenots, Samson et Dalila, Tannhäuser*, etc. Par contre, il faudra assister aux représentations de l'Opéra-Comique si l'on veut entendre des drames lyriques tels que *Manon, Louise, Carmen, Pelléas et Mélisande, La Bohème*, etc.

Alors se rendant aux prières de tout le monde, M. Guérin a bien 40 voulu consentir à exécuter « Le Rêve » de l'opéra *Manon* par Massenet. C'est la femme du commandant qui l'a accompagné au piano. Ensuite la générale a servi des rafraîchissements.

---

[1] Formerly known as the *ministère de l'Instruction Publique.*

ROBERT (*s'adressant à Mme Desbareau*). Vous me servez tant de
choses exquises, madame, que j'aurai beaucoup de peine à penser
à mes cours demain.

LA GÉNÉRALE. C'est demain samedi. Avez-vous des cours?

5 ROBERT. Mais non. Je n'ai pas de classes importantes, c'est-à-dire,
j'ai seulement des consultations avec mes professeurs. Tout est
donc pour le mieux.

Enfin nous nous sommes séparés, ayant passé une soirée délicieuse
qui m'a permis encore un coup d'œil sur la vie intime des Français.
10 Puisqu'il pleuvait, le commandant et sa femme ont eu la gentillesse de
me conduire jusqu'à la Cité Universitaire.

CHOIX D'EXPRESSIONS

à (*descriptive*)	with
au bout de	after, at the end of
être à même de	to be in a position to, be able to
faire partie de	to belong to, be a member of
ne faire que	only, merely
grâce à	thanks to
mettre au courant (**de**)	to tell about, inform

CHOIX D'EXERCICES I

I. Composition orale. En s'inspirant du texte, l'étudiant se préparera à dire quelques mots sur chacun des sujets suivants:

1. La discrétion de Robert. Réponse du général.
2. La surprise; M. Guérin, musicien; le divertissement; les rafraîchissements.
3. L'arrivée de M. Guérin; son apparence; l'accueil; la prière.
4. La carrière musicale; le Conservatoire; le concours d'entrée;
les études musicales de M. Guérin, violoniste à l'Opéra-Comique.
5. L'Opéra et l'Opéra-Comique; le ministre de l'Éducation Nationale; les avantages de cette direction; la différence entre les
deux théâtres.
6. La fin de la soirée; « Le Rêve » de *Manon;* les rafraîchissements;
les adieux; la rentrée chez soi.

II. Traduire en anglais les phrases suivantes:

1. D'ailleurs, la soirée ne fait que commencer. 2. Pourquoi ne pas
mettre M. Martin au courant de la surprise que tu lui réserves?
3. M. Guérin fait partie de l'orchestre de l'Opéra-Comique depuis
trente ans. 4. On voit entrer un homme qui a l'air d'avoir environ
soixante ans, aux yeux vifs et à la barbe blanche. 5. Peu à peu, je

me suis perfectionné au point de pouvoir me présenter au concours.
Grâce à ma bonne étoile, je suis entré au Conservatoire. 6. Pourtant,
au bout de deux ans, j'étais suffisamment bon pour pouvoir concourir
pour le prix. 7. Comme il est subventionné par le gouvernement et
ainsi affranchi de soucis financiers d'ordre dominant, il est à même
d'entretenir le goût du public pour la bonne musique classique.
8. D'ailleurs, la plupart des Américains croient que l'Opéra-Comique
veut dire « Comic Opera ».

MISE AU POINT GRAMMATICALE

46. Partitive Construction

A. The idea of *some* or *any* in English, whether expressed or understood, is regularly expressed in French by **de** + the definite article
(**du, de la, de l', des**) before a noun:

Veuillez me passer ce petit vase où il y a **des** cigarettes.	Please pass me this little vase in which there are some cigarettes.
Je prendrai **du** café.	I'll have some coffee.
Ouvrez cette fenêtre, je vous prie. Il nous faut **de** l'air.	Please open that window. We need some air.

Note. In this construction **de** means "an indefinite quantity of."
This indicates that only a portion or part of the thing mentioned
is being considered.

B. In the following cases, **de** alone, i.e. without the definite article,
is used to express the idea of *some* or *any* when preceding a noun.

1. After a general negation such as **ne . . . pas, ne . . . point,
ne . . . guère, ne . . . jamais** [1]:

Il n'y a pas **de** classes le dimanche.	There are no classes on Sundays.
Je n'ai guère **d'**argent.	I have scarcely any money.

Since **ne . . . que** is merely a restrictive and not a real negative,
the article is used:

Je n'ai eu que **des** ennuis.	I have had nothing but trouble.

2. Before an adjective preceding a noun but only in the plural [2]:

Elle a acheté **de** jolies robes à Paris.	She bought some beautiful dresses in Paris.
Je suis venu seulement prendre **de** ses nouvelles.	I've come only to find out how he is.

[1] See Unit IX for a discussion of negatives. [2] Current usage retains the article in the singular: **du** bon pain; **de la** belle musique.

Obviously when an adjective follows the noun the rule does not
apply:

des roses rouges	some red roses

3. After nouns indicating a definite quantity:

une tasse **de** café	a cup of coffee
un verre **d'**eau	a glass of water
une livre **de** beurre	a pound of butter

4. After adverbs expressing a definite quantity:

Ce malhonnête homme a-t-il des amis? — Il a beaucoup **d'**amis pour monter dans son automobile.	Has this dishonest man any friends? — He has many friends who want to ride in his car.

The most common adverbs of quantity are:

assez, *enough*	**peu,** *little*
autant, *as much*	**plus,** *more*
beaucoup, *much, many*	**tant,** *so much, so many*
combien, *how much, how many*	**trop,** *too much, too many*
moins, *less*	**que,** *how many*

Bien (*much, many*), **la plupart** (*most*), **encore** (*some more*) resemble adverbs of quantity in their use; by exception, however, they are followed by **de** + the definite article:

Bien **des** fois. (*or* Beaucoup **de** fois.)	Many times.
La plupart **des** hommes aiment la liberté.[1]	Most men love Liberty.
Encore **du** pain.	Some more bread.

5. After a verb requiring **de** before its complement:

Ils meurent **de** faim.	They are starving.
Il a manqué **de** tact.	He lacked tact.
Elle a changé **d'**avis.	She changed her mind.

C. The partitive pronoun **en** (*some, any, of it, of them*) replaces the partitive article (**de, du, de la, de l', des**) + a noun:

J'espère qu'il y a du vin et des gâteaux.	I hope there is some wine and cakes.
Mais oui, il y **en** a.	Yes indeed, there is some.
Alors, donnez-nous-**en.**	Then give us some.

Note. The pronoun **en** follows all other pronouns.

---

[1] In this case, the verb would agree with the word after **du** or **des**, rather than with **la plupart.**

D. Both **de** and the definite article are omitted:

1. In long enumerations [1]:

Il y a, sur mon bureau, beaucoup de choses: plumes, livres, cahiers, morceaux de craie.	There are, on my desk, many things: pens, books, exercise books, pieces of chalk.

2. After **ni . . . ni,** *neither . . . nor,* **sans,** *without,* **avec,** *with,* and a few other prepositions in particular constructions:

Je n'ai ni argent ni amis.	I have neither money nor friends.
Êtes-vous sans argent?	Are you without money?
J'accepte avec plaisir, monsieur.	I accept with pleasure, sir.

47. Days, Months, Seasons

A. The days of the week are: **lundi,** *Monday,* **mardi,** *Tuesday,* **mercredi,** *Wednesday,* **jeudi,** *Thursday,* **vendredi,** *Friday,* **samedi,** *Saturday,* **dimanche,** *Sunday.*

1. The word *on* before days of the week is omitted in French:

Il viendra lundi.	He will come on Monday.

2. The definite article used before days of the week indicates regular occurrence:

On assiste à l'office divin **le** dimanche.	People attend church service regularly on Sunday.

Remark. There is a growing tendency to begin days of the week with a capital.

B. The months are: **janvier,** *January,* **février,** *February,* **mars,** *March,* **avril,** *April,* **mai,** *May,* **juin,** *June,* **juillet,** *July,* **août,** *August,* **septembre,** *September,* **octobre,** *October,* **novembre,** *November,* **décembre,** *December.*

1. There are two possible ways of expressing *in* before a month:

Victor Hugo naquit **en** février (*or* au mois de février).	Victor Hugo was born in February.

Remark. There is a growing tendency to start the names of the months with a capital.

C. The names of the seasons are: **l'été,** *summer,* **l'automne,** *autumn,* **l'hiver,** *winter,* **le printemps,** *spring.*

1. *In summer, in autumn, in winter* are **en été, en automne, en hiver,** but *in spring* is **au printemps.**

---

[1] See § **43,** page 141.

Note. **En** is used before the three names of seasons that begin with a vowel sound.

D. The names of the days, months, and seasons are masculine.

DAILY VERBS

pleuvoir (*rain*)	pleuvant	plu	il pleut	il plut
il pleuvra	il pleuvait	avoir plu		il plût
il pleuvrait	PRES. IND.	il pleut		
	PRES. SUBJ.	il pleuve		

résoudre (*resolve, solve*)	résolvant	résolu (résous)	résous	résolus
résoudrai	résolvais	avoir résolu		résolusse
résoudrais	PRES. IND.	résous, résous, résout, résolvons, résolvez, résolvent		
	PRES. SUBJ.	résolve, résolves, résolve, résolvions, résolviez, résolvent		
		(**absoudre,** *absolve*)		

CHOIX D'EXERCICES II

Exercices sur les verbes *pleuvoir, résoudre*

I. Traduire en français les mots entre parenthèses et les placer dans la phrase:

1. (*rain*) Il a l'air de vouloir ——. 2. (*has not rained*) Il ne —— pas depuis quinze jours. 3. (*will rain*) J'espère qu'il —— demain. 4. (*will rain*) Croyez-vous qu'il —— ce soir? 5. (*solves*) Celui qui —— vos problèmes économiques acquerra une gloire éternelle. 6. (*resolves*) M. Bishop —— de faire passer à Robert une année en France. 7. (*resolve*) Nous —— de faire bien des choses que nous ne sommes pas à même de faire.

II. Thème sur les verbes

1. It has been raining for two hours. 2. It did not rain yesterday, but I think it will rain tomorrow. 3. It was raining when I came in. 4. Are you sure it will rain tomorrow? 5. It looks like rain. 6. Whoever solves this question will be a national hero. 7. Mr. Bishop resolved to send his nephew to Paris.

Exercices de grammaire

I. Remplacer les tirets, s'il y a lieu, par l'expression convenable:
A. 1. La générale leur servira —— rafraîchissements. 2. Je vais prendre —— café noir. 3. M. Guérin fera —— musique. 4. J'ai

soif. Versez-moi —— eau, je vous prie.   5. Il a grand besoin ——
argent.   6. Il n'a pas —— argent.   7. Il n'y a pas —— allumettes;
on ne pourra pas faire —— feu.   8. Ce monsieur n'a guère —— amis.
9. Il n'a que —— ennemis.   10. On trouve —— bon pain partout
en France.   11. Elle vient d'acheter —— beaux chapeaux.   12. Robert a accepté de prendre un petit verre —— Dubonnet avant le dîner.
13. La plupart —— journaux français ont peu —— illustrations.
14. Combien —— quotidiens y a-t-il à Paris?   15. Le champagne
est délicieux mais n'—— prenez pas trop.   16. J'ai entendu cet
opéra bien —— fois.   17. Je tombe —— fatigue.   18. S'il y a ——
sucre, donnez-m'—— un morceau, je vous prie.   19. Je suis désolé,
monsieur, mais il n'y a ni —— sucre ni —— crème.   20. Bayard fut
le Chevalier sans —— peur et sans —— reproche.

B. 1. D'habitude on récite mal —— lundi.   2. Entendu, je vous
verrai —— samedi.   3. Il fait chaud —— été.   4. A Paris, il pleut
beaucoup —— hiver.   5. La Fête Nationale a lieu —— juillet.
6. J'ai passé —— été au bord de la mer.   7. En général, la fête de
Pâques se célèbre —— printemps.   8. La rentrée des classes a lieu
—— automne.   9. George Washington naquit —— février.   10. Le
premier —— s'appelle le jour de l'An.

II. Thème grammatical

1. May I offer you some wine?   2. I don't care for any, thank you,
but I'll have some coffee.   3. Is there any cream?   4. Of course there
is.   Marie, pass him some, please.   5. Just a little more of this hot
coffee?   6. No, thank you.   I have had enough.   7. I can eat
neither apples nor cake so late.   8. Mr. Guérin never drinks too
much champagne.   9. I should never be able to read so much news.
10. When I was in France, I always wanted to buy a lot of interesting
curios but I never had enough money.   11. One must have [1] money
to buy beautiful things.   12. The general served some wine, some
cakes, then some cool water, while Mr. Guérin gave us some music.
13. The general spoke many times of Mr. Bishop.   14. Mr. Guérin
took only a cup of coffee.   15. But he will not die of hunger.

Thème d'imitation (facultatif)

1. When Robert suggested that perhaps it would be better for him
to withdraw, the general replied: "There is no hurry.   The evening
is merely beginning."   2. Mr. Guérin has been a member of the
Opéra-Comique orchestra for many [2] years.   3. If Mr. Guérin would
play some music, Mrs. Desbareau would serve some coffee, some
rolls, some ice cream, and some little cakes.   4. Mr. Guérin was

----

[1] **falloir.**   [2] Use **bien.**

fifty years old. He was a man with grey hair and blue eyes. 5. Robert said he would be very grateful to Mr. Guérin if he would inform him about a musical career in France. 6. He spoke first of the Conservatory, a school whose objective is the teaching of vocal and instrumental music, dramatic art and dancing. 7. Thanks to his lucky star, he was accepted. 8. After two years of intensive preparation, he was able to compete for the first prize. 9. Yielding to everyone's request, Mr. Guérin played "La Berceuse" from *Jocelyn*. 10. After some refreshments, served by the general's wife, the guests departed. What a delightful evening!

48 . Demonstrative Pronouns

49 . **C'est, ce sont — Il est, ils sont**

50 . Plural of Nouns and Adjectives

DAILY VERBS:

acquérir, conclure

A La Comédie-Française (Au Théâtre-Français)

EXTRAIT DU JOURNAL DE ROBERT MARTIN

(François Mérie entre dans la chambre de Robert.[1])

FRANÇOIS. Bonjour, mon vieux.

ROBERT. Quoi de neuf?

FRANÇOIS. J'ai une nouvelle sensationnelle à t'annoncer.

ROBERT. Je suis tout oreilles.

FRANÇOIS. Je viens d'apprendre que l'on est en train de préparer 5 une reprise de *Cyrano de Bergerac* au Théâtre-Français — c'est-à-dire à la Comédie-Française, Salle Richelieu.

ROBERT. Voilà une chance inespérée. Voir une telle pièce, ma foi! Ce n'est pas à dédaigner, car mon ancien professeur de français nous a dit que cette pièce représente ce qu'il y a eu de mieux en 10 fait de théâtre depuis plus de cinquante ans.

FRANÇOIS. La première sera donnée, dit-on, dans huit jours. Alors je te conseille de ne pas tarder à louer une place, car cette œuvre en vaut bien la peine. D'ailleurs, il n'y a rien de tel que d'écouter la belle diction des artistes de la Comédie-Française si l'on veut 15 acquérir une bonne prononciation.

ROBERT. Je ne manquerai pas de suivre ces bons conseils dont je te suis très reconnaissant, mais veux-tu me donner un petit renseignement?

[1] Robert has been living at the Cité Universitaire for several months. He is now one of the clan. It is therefore perfectly natural and customary for these young men to use the forms **tu, te, toi, ton, ta, tes.**

Molière, Victor Hugo, Beaumarchais ou Rostand: quel sera le choix de ces étudiants pour leur prochaine soirée à la Comédie-Française? (*Three Lions*)

FRANÇOIS. Bien volontiers.

ROBERT. Pourquoi beaucoup de Parisiens semblent-ils avoir pour ce théâtre une grande prédilection ?

FRANÇOIS. La Comédie-Française, que l'on appelle aussi le Théâtre-Français, est le premier théâtre dramatique national et demeure à 5 bien des égards la première scène dramatique de Paris. Elle est célèbre par son histoire ainsi que par le prestige de ses artistes. Fondée en 1680, par ordre de Louis XIV, elle est issue de l'ancienne troupe de Molière unie à celles de l'Hôtel de Bourgogne et du théâtre du Marais. La Comédie-Française, toujours constituée 10 en société, est dirigée par un administrateur nommé par le gouvernement et elle est dotée d'une subvention du ministère de l'Éducation Nationale. On y joue le répertoire classique tandis qu'à l'Odéon,[1] le second théâtre national, on joue le répertoire moderne et les pièces nouvelles, sévèrement sélectionnées. 15

ROBERT. Ce que tu viens de me dire ne fait qu'accroître mon désir d'assister à cette première. C'est très aimable à toi d'avoir bien voulu me signaler cet événement et de m'avoir fourni des informations aussi intéressantes.

FRANÇOIS. C'est la moindre des choses. Et maintenant je me sauve. 20 J'ai classe. A très bientôt !

ROBERT. Au revoir, mon cher, et mille fois merci.

J'en ai conclu qu'il valait mieux agir sur-le-champ. J'ai volé, pour ainsi dire, jusqu'à l'Agence de Théâtres de la Cité Universitaire, où j'ai loué un fauteuil d'orchestre. Le prix de la place prise dans 25 une Agence de Théâtres est, bien entendu, un peu plus cher que celui d'une place prise au théâtre même, mais cela en valait la peine car je n'ai pas eu à me déranger ni à faire la queue au guichet.

Au soir de la représentation, je me rendis au Théâtre-Français. En pénétrant dans le foyer, je fus ébloui par la magnifique statue de 30 Voltaire, du célèbre sculpteur Houdon (1741-1828). En arrivant au haut de l'escalier, j'eus la surprise de voir un garçon qui vendait des programmes. « Il me coûte vingt-cinq francs », me dit-il. Je lui en donnai cinquante car je compris tout de suite qu'il attendait un pourboire. Encore une coutume française qui nous paraît singulière. 35 On doit non seulement payer le programme mais il convient aussi d'offrir un pourboire au vendeur.

Ensuite une brave vieille en robe noire s'avança vers moi. C'était l'ouvreuse qui demandait à voir le talon de mon billet.

L'OUVREUSE. C'est par là. Si Monsieur veut bien me suivre . . . 40

---

[1] In 1946, *l'Odéon* was made a part of the *Comédie-Française* under the official name of *Salle Luxembourg* because it is located opposite *le Palais du Luxembourg*. This palace, from which *Le Jardin* derives its name, is the meeting place of the French Senate, now called *Le Conseil de la République*.

Arrivée devant ma place qui se trouvait au troisième rang de l'orchestre, elle déchira en deux ce qui restait du billet et m'en remit la moitié.

L'OUVREUSE (*après avoir attendu un instant*). Monsieur, qui a l'air
5 d'un étranger, ne sait sans doute pas que c'est la coutume en France d'offrir un pourboire à l'ouvreuse.

ROBERT. Il est difficile pour un étranger de s'habituer à cette coutume.

L'OUVREUSE. Voilà ce qu'il en est, monsieur. Nous autres ouvreuses sommes obligées de payer pour travailler ici. Notre seul moyen
10 d'avoir un petit bénéfice, c'est de recevoir des pourboires. Nous devons nous fier à la générosité des spectateurs. D'ailleurs, on m'affirme que les places de théâtre en France sont bien moins chères que ne le sont celles aux États-Unis.

ROBERT. Je comprends parfaitement. Me voici complètement ren-
15 seigné. Je m'en souviendrai la prochaine fois et ça ira tout seul.

(*Je lui remis un billet de cinquante francs qu'elle accepta avec son plus gracieux sourire.*)

J'eus à peine le temps de parcourir mon programme qu'une sonnerie électrique assez prolongée se fit entendre. D'abord je n'y prêtai
20 aucune attention, n'y voyant rien d'extraordinaire puisque cela se fait partout. Mais subitement la sonnerie s'arrêta. Il y eut une petite pause. Puis, j'entendis frapper derrière le rideau. Au bout de quelques instants, cela se termina également. Enfin on frappa trois bons coups à intervalles un peu espacés — toc! toc! toc! Tiens!
25 j'y suis! Je m'en souviens maintenant. Ce sont les trois coups traditionnels annonçant le lever du rideau et le commencement de la pièce.

CHOIX D'EXPRESSIONS

dans huit jours	in a week
être tout oreilles	to be all ears
ma foi !	well! (upon) my word!
nous autres ouvreuses . . .	we ushers . . .
par là	that way
pour ainsi dire	so to speak
je me sauve	I must be running along
sur-le-champ	right away
ça ira tout seul	it will be plain sailing

CHOIX D'EXERCICES I

I. Composition orale. En s'inspirant du texte, l'étudiant se préparera à dire quelques mots sur chacun des sujets suivants:

1. L'entrée de François; la nouvelle sensationnelle; une chance inespérée; pourquoi; la première; la diction des artistes; le parti pris par Robert.

2. La Comédie-Française; son histoire; sa direction; son répertoire; l'Odéon.

3. Les remerciements de Robert; le départ de François.

4. L'Agence de Théâtres; Robert agit; le fauteuil d'orchestre; le
prix des places; les avantages de l'Agence.

5. L'arrivée au Théâtre-Français; la statue de Voltaire; les programmes.

6. L'ouvreuse; l'explication du pourboire.

7. La sonnerie électrique; les trois coups.

II. Traduire en anglais les phrases suivantes:

1. Je viens d'apprendre que l'on est en train de préparer une reprise
de *Cyrano de Bergerac* au Théâtre-Français.   2. Cette pièce représente ce qu'il y a de mieux en fait de théâtre depuis plus de cinquante
ans.   3. La première sera donnée, dit-on, dans huit jours.   Alors je
te conseille de ne pas tarder à louer une place, car cette œuvre en
vaut bien la peine.   4. C'est la moindre des choses.   Et maintenant
je me sauve.   5. J'en ai conclu qu'il valait mieux agir sur-le-champ.
J'ai volé, pour ainsi dire, jusqu'à l'Agence de Théâtres.   6. C'est
par là.   Si Monsieur veut bien me suivre . . .   7. Je m'en souviendrai
la prochaine fois et ça ira tout seul.   8. J'eus à peine le temps de
parcourir mon programme qu'une sonnerie électrique assez prolongée
se fit entendre.

MISE AU POINT GRAMMATICALE

48. Demonstrative Pronouns

A. The demonstrative pronouns are of two kinds: (1) definite
(variable) and (2) indefinite (invariable):

	DEFINITE (VARIABLE)		
	MASC.	FEM.	
SING.	celui	celle	*this one, that one*
PLURAL	ceux	celles	*these, those*
	INDEFINITE (INVARIABLE)		
	ce, ceci, cela		

B. Suffixes **-ci** (*here*) and **-là** (*there*) are added to a demonstrative
pronoun itself, to distinguish between a near object and a more
distant object:

Voilà deux groupes d'étudiants:
ceux-ci désirent savoir parler
français; **ceux-là** veulent savoir
le lire.

There are two groups of students:
these want to know how to
speak French; those want to
know how to read it.

C. Use

1. The definite or variable pronouns are used to replace the names of persons or things that one desires to point out in a special way and of which one has already spoken or is going to speak. They agree in gender and number with a definite antecedent:

Les rues de Paris sont plus pittoresques que **celles** de New-York.	The streets of Paris are more picturesque than those of New York.
Celui qui fait des heureux est le vrai heureux.	He who makes people happy is truly a happy man.

2. *The latter — the former.* **Celui-ci,** etc., may also mean *the latter;* **celui-là,** etc., *the former.* The order in the sentence is reversed as compared with the usual English:

Foch et Hugo étaient des Français célèbres. **Celui-ci** était poète tandis que **celui-là** était soldat.	Foch and Hugo were famous Frenchmen. The latter was a poet, whereas the former was a soldier.

3. The indefinite or invariable forms **ce, ceci,** and **cela** (sometimes contracted to **ça**) have no definite antecedent and usually refer to something indicated but not specifically named:

Cela n'est pas vrai.	That is not true.
Qu'est-ce que c'est que **ça**?	What's that?

4. *He, she, they,* when followed by a relative clause, are expressed in French by **celui, celle,** etc. The English *what* and *which,* when equivalent to *that which,* are expressed by **ce qui, ce que,** etc.:

Celui que vous cherchez est parti.	He whom you seek has left.
Je vois **ce qui** est arrivé.	I see what has happened.
Je sais **ce dont** vous avez besoin.	I know what you need (that of which you have need).

49. *Ce* or *Il (elle,* etc.) + *être*

A. **Il (elle), ils (elles)** are used before **être:**

1. To represent and refer to a definite noun or to a definite person previously mentioned, when **être** is followed by an adjective alone:

Mon chapeau vous plaît?	Does my hat please you?
Il est ravissant.	It is bewitching.
Comment trouvez-vous Suzanne?	What do you think of Susan?
Elle est délicieuse.	She is delightful.

This construction includes the case where an undetermined name of a nationality, profession, title, rank, or religion is used in an adjectival sense after **être** [1]:

Elle est française.	She is French.
Ils sont soldats.	They are soldiers.
Il est général.	He is a general.
Elle est catholique.	She is a Catholic.

C'est is used when the name of nationality, etc., is determined by an adjective or some distinguishing modifier:

C'est un soldat courageux.	He is a brave soldier.
C'est un médecin qui aime sa profession.	He is a physician who loves his profession.

2. To represent a subordinate clause that follows **être** + an adjective. This clause is the real subject of **être.**

Il est probable que la semaine prochaine je vous ferai copier une lettre.	It is quite probable that I'll have you copy a letter next week.

3. To represent **de** + an infinitive after **être** + an adjective. In this construction, **de** + infinitive is the real subject of **être.**

Il est intéressant de visiter les provinces françaises.	It is interesting to visit the French provinces.

However, in colloquial French **c'est** may be used instead of **il est** to add more force to what follows. Even Victor Hugo puts these words into the mouth of Jean Valjean:

« **C'est** bon de mourir comme cela. »	It is good to die this way.

4. See Appendix II for use of **il est** in telling time.

B. **Ce** is used before **être:**

1. When **être** is followed by a noun, pronoun, superlative, adverb, or preposition:

C'est un amour de robe.	It is a darling dress.
Qui me demande? — C'est M. Bridac.	Who's calling? — It's Mr. Bridac.
C'est lui qui l'a dit.	He's the one who said so.
C'est celui qui a jeté les fleurs.	He's the one who threw the flowers.
C'est le plus beau.	It is the most beautiful.
C'est ici qu'il demeure.	Here is where he lives.
C'est à vous que je le dois.	I owe it all to you.

---

[1] See § 44A, page 142.

In modern French literature, **il** may replace **ce** when special emphasis is desired. (The student, however, would do well to follow the regular rule.)

Il était l'ami le plus loyal.	He was indeed the most loyal friend.

2. To represent and refer to a group of words expressing a general idea when an adjective follows **être:**

C'est pour vous faire honneur que j'ai commandé cette robe.	I ordered this dress in your honor.
C'est vrai?	Is that true?
Ce héros est mort tout jeune.	This hero died quite young.
C'est triste.	That's sad.

Note. In this construction, **ce** refers to a complete thought while **il** would refer to one single word.

3. When **être** is followed by an adjective + **à** + an infinitive:

Il dit qu'il peut traverser la Manche à la nage.	He says he can swim the English Channel.
C'est facile à dire.	That is easy to say.

4. To pick up again a subject already expressed:

La première condition du développement de l'esprit, **c'**est sa liberté.	The first condition for developing the mind is its freedom.

5. When the complement of **être** is an infinitive or **de** + an infinitive:

Sa distraction, **c'**est de lire.	Reading is his great diversion.
Voir, **c'**est croire.	Seeing is believing.

6. When **être** is preceded by **devoir** or **pouvoir:**

Ce doit être un beau spectacle.	That must be a beautiful sight.

50. Plurals of Nouns and Adjectives

Some exceptions to the regular plural in **s.**

1. Nouns ending in **s, x,** or **z** remain unchanged:

le nez, *the nose;* les nez, *the noses*

2. Most nouns and adjectives ending in **al,** and a few nouns in **ail,** change to **aux:**

cheval (*horse*), chevaux; travail (*work*), travaux; loyal (*loyal*), loyaux; principal (*principal*), principaux

Exceptions. Bal (*dance*), bals; carnaval (*carnival*), carnavals; festival (*festival*), festivals; régal (*feast*), régals.

3. Nouns ending in **au, eu,** and seven in **ou,** take **x:**

tableau (*picture*), tableaux; jeu (*game*), jeux; bijou (*jewel*), bijoux; caillou (*pebble*), cailloux; chou (*cabbage*), choux; genou (*knee*), genoux; hibou (*owl*), hiboux; joujou (*toy*), joujoux; pou (*louse*), poux

4. Adjectives ending in **eu** and **ou** regularly take **s.** Adjectives ending in **eau** take **x:**

bleu (*blue*), bleus; fou (*crazy*), fous; beau (*beautiful*), beaux

5. The following two irregular plurals should be noted:

œil (*eye*), yeux; ciel (*sky*), cieux

DAILY VERBS

acquérir	acquérant	acquis	acquiers	acquis
(*acquire*)				
acquerrai	acquérais	avoir acquis		acquisse
acquerrais	PRES. IND.	acquiers, acquiers, acquiert, acquérons, acquérez, acquièrent		
	PRES. SUBJ.	acquière, acquières, acquière, acquérions, acquériez, acquièrent		
		(**conquérir,** *conquer*)		
conclure	concluant	conclu	conclus	conclus
(*conclude*)				
conclurai	concluais	avoir conclu		conclusse
conclurais	PRES. IND.	conclus, conclus, conclut, concluons, concluez, concluent		
	PRES. SUBJ.	conclue, conclues, conclue, concluions, concluiez, concluent		

CHOIX D'EXERCICES II

Exercices sur les verbes *acquérir, conquérir, conclure*

I. Remplacer l'infinitif en italique par la forme convenable du verbe et traduire la phrase

(*a*) au présent ou à l'impératif:

1. Il *acquérir* une bonne prononciation. 2. Nous *acquérir* une bonne connaissance de la civilisation française. 3. Nous *conclure* une bonne affaire. 4. *Conclure* cette affaire tout de suite. 5. Je *conclure* mon discours maintenant.

(*b*) au passé composé:

1. Vous *acquérir* toute mon affection. 2. Il *acquérir* une fortune énorme par sa mère. 3. Qu'en *conclure*-vous? 4. Ses bontés *conquérir* tous les cœurs.

(*c*) au passé simple:

1. César *conquérir* toute la Gaule en huit ans. 2. La France et l'Allemagne *conclure* un traité économique. 3. La France *acquérir* l'Alsace et la Lorraine à la fin de la Grande Guerre (1914–1918).

(*d*) au futur ou au conditionnel:

1. Si vous passiez une année en France, vous *acquérir* une bonne connaissance de la langue française. 2. Si je reste à Paris une année, j'*acquérir* une bonne prononciation. 3. Quand *conclure*-vous cette affaire?

(*e*) au subjonctif présent:

1. Je voudrais que mon père *acquérir* toute cette terre. 2. Il faut que Gaston *conquérir* le cœur de cette jeune fille par la douceur. 3. Voulez-vous que je *conclure* une telle affaire sans réfléchir?

II. Thème sur les verbes

1. He is acquiring a large fortune by writing books. 2. If Robert studies phonetics, he will acquire a good pronunciation. 3. What a beautiful house! I must acquire it. 4. After acquiring a country house, we left town every week end. 5. The teacher concluded that it was a good thing to do. 6. From this information, I conclude that he will win the esteem of the public. 7. When he has brought this deal to a conclusion, he will return to France.

Exercices de grammaire

I. Traduire les mots entre parenthèses et les placer dans les phrases:

1. (*This, blue eyes*) —— enfant a ——. 2. (*more beautiful, those*) Ils sont —— que —— de son frère. 3. (*These jewels, older, those*) —— sont —— que ——. 4. (*The latter, the former*) —— sont français, —— sont égyptiens. 5. (*cabbages*) Les petits Français croient que les enfants poussent dans des ——. 6. (*skies, beautiful*) Les —— de la Côte d'Azur sont extrêmement ——. 7. (*These horses*) —— viennent d'Arabie. 8. (*works*) Louis Quatorze surveillait tous les —— à Versailles. 9. (*voices*) Les —— des artistes de l'Opéra sont superbes. 10. (*noses, that*) Il y a peu de —— comme —— de Cyrano.

II. Traduire les mots entre parenthèses et les placer dans les phrases:

1. (*He*) —— qui cherche trouvera. 2. (*this one, that one*) De ces deux maisons, j'aime mieux —— que ——. 3. (*this one, that one*) De ces deux chevaux, —— galope plus vite que ——. 4. (*those*) Les rues de Paris sont plus pittoresques que —— de Chicago. 5. (*Those*) —— qui travaillent réussiront. 6. (*The latter, the former*) Molière et Shakespeare étaient de grands écrivains. —— était anglais, —— était français. 7. (*what, that*) Je ne comprends pas —— fait ——. 8. (*that*) Comment —— va? 9. (*this, that*) Prenez ——; je garderai ——. 10. (*That*) ——, c'est chic.

III. Traduire les mots entre parenthèses et les placer dans les phrases:

1. (*she*) Quant à Giselle, —— est ravissante. 2. (*It*) Comment trouvez-vous le Tour de France? —— est palpitant. 3. (*He*) —— est français. 4. (*He*) —— est un soldat américain. 5. (*She*) —— est journaliste. 6. (*She*) —— est une journaliste américaine. 7. (*They*) —— sont artistes. 8. (*They*) —— sont des artistes français. 9. (*It*) —— est possible qu'il aille en Corée. 10. (*It*) —— est amusant d'essayer de se faire comprendre en français. 11. (*That*) Quand aurons-nous la paix? —— est difficile à savoir. 12. (*It*) Qui est là? —— est moi. 13. (*It*) Croyez-vous que ce qu'il a dit soit vrai? —— est impossible. 14. (*It, that*) —— est difficile de croire que ça puisse durer longtemps comme ——. 15. (*It*) —— est aujourd'hui le 14 juillet, la Fête Nationale française. 16. (*it*) Ce qui fait mon plus grand plaisir, —— est d'apprendre le français à mes élèves. 17. (*it*) Vouloir —— est pouvoir. 18. (*It*) —— est encourageant de voir les progrès que fait la classe. 19. (*It*) Il dit qu'il gagne toujours à Monte-Carlo. —— est difficile à croire. 20. (*It*) Croyez-vous qu'il pleuve demain? —— est probable.

IV. Thème grammatical

1. Coquelin Aîné played the part of Cyrano. 2. He was a great French actor. 3. The [1] French actors who come to the United States are generally too old. 4. The actors of the Comédie-Française have beautiful voices. 5. He who has talent can enter (*à*) the Conservatory. 6. She whom we feared so much has left town. 7. They are the best seats in the house. 8. Pity those whose homes were destroyed during the war. 9. The sons of these generals are all students at Saint-Cyr. 10. What is that? — I don't know what it is. 11. It is very interesting to travel in Europe. 12. These horses are better than those. 13. The former are my father's, the latter are my

---

[1] Those of the.

uncle's.   14. What news?   — We won the match!   — That's wonderful!   15. It is possible that peace may come soon.   16. Is it
true that he wants to do that?   17. To think is to live.

Thème d'imitation (facultatif)

1. Robert was all ears when Frank said that the première of the
revival of *Cyrano de Bergerac* would take place in a week.   2. Robert
replied that he would not delay in getting a seat, since he knew the
play was decidedly worth while.   3. To listen to the beautiful diction
of the actors of the Comédie-Française is the best way to acquire a
good pronunciation.   4. Frank said, "I must be off" because he
had a class.   5. Robert concluded that it was better to act right away.
6. A seat secured at the theater is less expensive than that bought
at a ticket agency.   7. Robert was surprised to learn that the program had to be bought.[1]   8. Then the usher seemed to expect a tip.
9. Robert said: "My word! What an odd custom! One must always
give tips in France, so to speak. It is difficult to get used to this
custom."

[1] Use **on.**

51 . Possessive Pronouns

52 . Special Time Relationships
Idiomatically Expressed

DAILY VERBS:

haïr, rire, croître

Cyrano de Bergerac

EXTRAIT DU JOURNAL DE ROBERT MARTIN

Les trois coups sont frappés, le rideau se lève et la pièce commence. A peine le rideau est-il levé que j'entends des applaudissements frénétiques de la part de quelques personnes au « poulailler ». Je me suis retourné surpris, me demandant: « Qu'est-ce que cela veut dire? »

UN FRANÇAIS (*à ma droite*). C'est la claque, monsieur l'étranger. 5
ROBERT. Qu'est-ce que ce peut bien être?
LE FRANÇAIS. C'est un groupe d'hommes payés qui, au signal de leur chef, applaudissent à tout rompre.
ROBERT. Quelle drôle d'affaire! A quoi cela sert-il?
LE FRANÇAIS. C'est une façon d'impressionner le public et de bien 10 lancer la représentation. C'est aussi un encouragement pour les acteurs.

Mais la pièce commence. Le décor représente un théâtre, celui de l'Hôtel de Bourgogne aux environs de 1640. Au premier plan, le parterre; au fond, les galeries; côté cour, l'éventaire de la marchande 15 de bonbons; côté jardin, une petite scène. Au lever du rideau, les spectateurs se promènent et bavardent. Par des bribes de conversation, on apprend que Cyrano veut empêcher la pièce d'être jouée et que ses amis, Le Bret et le pâtissier Ragueneau, sont inquiets des conséquences de ce pari. 20

Cyrano de Bergerac est un pauvre Cadet de Gascogne, un poète, un rêveur, une âme sensible, éprise du beau, dont la vie a été gâchée parce qu'il est affligé d'un nez immense qui le ridiculise. Cyrano hait la laideur sous toutes ses formes. Autre Don Quichotte, il part en guerre contre les abus, les préjudices, même s'il lui en coûte for- 25

Au siège d'Arras le comte de Guiche dévoile à Cyrano, Roxane et M. de Carbon, les plans de la prochaine attaque contre les Espagnols.
(*French Press and Information Service*)

tune et protection. Il a des ennemis sans nombre, entre autres le comte de Guiche, un protégé de Richelieu, qui a le dessein d'épouser Roxane. La jeune fille n'est autre que la cousine de Cyrano. Elle ne professe pour son cousin qu'une affection toute fraternelle tandis qu'elle déteste de Guiche et aime en secret un jeune Cadet, Christian 5 de Neuvillette. C'est au cours du premier acte que Cyrano déclame la fameuse « Tirade du Nez » et qu'il compose, tout en se battant en duel contre un marquis précieux, la non moins fameuse « Ballade du Duel ».

Voulant quelqu'un à qui parler pendant l'entr'acte, je me suis 10 permis d'inviter le jeune Français assis à côté de moi à prendre quelque chose. Il a eu l'amabilité d'accepter mon invitation, et nous nous sommes dirigés vers le buffet, en passant par le foyer où les spectateurs ont l'habitude de se promener pendant l'entr'acte.

ROBERT (*au jeune Français*). Que puis-je vous offrir, monsieur? 15
LE FRANÇAIS. N'importe quoi. Nous sommes en plein été. Si cela ne vous fait rien, je prendrai volontiers un citron pressé.
ROBERT. A la bonne heure! Cela fait mon affaire aussi. Garçon, deux citrons pressés et des gaufrettes.
LE GARÇON. Tout de suite, monsieur. 20
ROBERT. Pouvez-vous me dire qui a créé le rôle de Cyrano? J'ai entendu dire que l'acteur était remarquable mais je ne peux pas me rappeler son nom.
LE FRANÇAIS. C'était Coquelin Aîné. Il a eu un succès fou dans ce rôle et il le méritait bien, car il sut mieux qu'aucun autre se 25 mettre dans la peau de son personnage. Mais voilà qu'on sonne la fin de l'entr'acte.
ROBERT. Hélas! je n'ai pas le temps de finir ma consommation.
LE FRANÇAIS. Je n'ai pas fini la mienne, non plus.
ROBERT. Mais ce serait vraiment dommage de manquer même une 30 minute de la vie de l'infortuné Cyrano.
LE FRANÇAIS. Pardon! A qui est ce programme par terre?
ROBERT. Il est à moi, je crois.
LE FRANÇAIS. En effet, ce doit être le vôtre puisque j'ai le mien dans ma poche. Dépêchons-nous de regagner nos places. 35

* * *

Cyrano n'ose avouer à Roxane qu'il l'aime, de peur qu'elle (ne) rie de sa laideur, mais il épanche son cœur en de multiples billets doux qu'il n'ose lui envoyer. Ceux-ci seront utiles bientôt, car Roxane réussit à obtenir de Cyrano qu'il l'aide à vaincre la timidité de Christian. Le jeune Cadet a la beauté qui a séduit la Précieuse,[1] 40

[1] **La précieuse** = ici, Roxane.

mais il manque d'esprit et ne sait pas parler aux femmes.   Cyrano
se résout donc à souffler au jeune homme les mots d'amour qu'il
brûle de dire à Roxane.   Il lui suffit de préparer le jeune amoureux
avant chacun de ses rendez-vous avec Roxane.   La jeune fille se
5 laisse prendre au charme et à la ruse et bientôt, avec l'aide de Cyrano
encore, elle épouse Christian que de Guiche, par dépit, envoie immédiatement à la guerre.   Pendant la cérémonie nuptiale, Cyrano
réussit à retenir de Guiche loin des jeunes gens en captivant son attention par la description des sept moyens, devenus classiques depuis,
10 d'arriver à la lune.

A Arras, au cours du siège, Christian est tué.   Roxane, par désespoir, se retire loin du monde, dans un couvent, où, pendant quatorze
années, fidèlement, chaque samedi, Bergerac vieillissant viendra lui
faire la chronique du monde et de la Cour.   Il ne trahira pas son
15 amour et ne dévoilera jamais que la lettre d'adieu passionné que
Roxane a trouvée sur Christian n'était pas du jeune homme mais de
Cyrano.   Avec les années, le poète est devenu de plus en plus amer.
Ses ennemis sont plus puissants que jamais, leurs forces croissent
tandis que les siennes diminuent.   Un jour, il est assassiné.   Mais
20 avant de succomber, il a le courage d'aller faire à Roxane sa visite
hebdomadaire; hélas! la dernière.   Dans cette heure suprême, Roxane
devine enfin la supercherie qui a duré si longtemps, et elle comprend
qu'à travers les lettres, c'est Cyrano qu'elle a aimé.   Il est trop tard
maintenant car Cyrano meurt bientôt dans un ultime duel contre la
25 Mort, le seul, cette fois, qu'il ne peut gagner.

*   *   *

Après avoir remercié mon voisin de sa gentillesse j'ai pris le taxi
que le chasseur m'a procuré, grâce à un bon pourboire.   Pendant le
trajet jusqu'à la Cité Universitaire, j'ai revu en pensée les dramati-
ques moments de la pièce qui reflètent, au plus haut point, le talent
30 de tragédien et de poète d'Edmond Rostand, qui est à juste titre
l'un des grands noms du théâtre français du début du siècle.

CHOIX D'EXPRESSIONS

applaudir à tout rompre	to applaud frantically
avoir l'habitude de + *inf.*	to be in the habit of
avoir un succès fou	to make a great hit
cela ne (me) fait rien	it's all the same to (me)
drôle de + *noun*	queer, odd, strange
se laisser prendre à	to let oneself be taken in by, succumb to

n'importe quoi	anything
non plus	either
par terre	on the ground, on the floor
de la part de	from
servir à	to be used for, be good for
vouloir dire	to mean

CHOIX D'EXERCICES I

I. Composition orale. En s'inspirant du texte, l'étudiant dira quelque chose sur chacun des sujets suivants:

1. La claque.
2. Le décor; le lieu; Le Bret.
3. Cyrano; son caractère; son physique; de Guiche; Roxane; Christian.
4. La conversation pendant l'entr'acte; le buffet; des citrons pressés; Coquelin; les programmes.
5. Cyrano; les billets doux; Christian; son caractère et son physique.
6. La résolution de Cyrano; la ruse; le résultat; le tour fait à de Guiche.
7. Roxane: au couvent; les visites et la chronique de Cyrano; sa vieillesse; son assassinat; son ultime visite.
8. Le dénouement.
9. Les impressions de Robert sur la pièce.
10. Le retour à la Cité Universitaire.

II. Traduire en anglais les phrases suivantes:

1. La claque est un groupe d'hommes payés qui, au signal de leur chef, applaudissent à tout rompre. Quelle drôle d'affaire! 2. Qu'est-ce que cela veut dire? A quoi cela sert-il? 3. Voulant quelqu'un à qui parler pendant l'entr'acte, je me suis permis d'inviter le jeune Français assis à côté de moi à prendre quelque chose. 4. Que puis-je vous offrir, monsieur? — N'importe quoi. Si cela ne vous fait rien, je prendrai volontiers un citron pressé. 5. A la bonne heure! Cela fait mon affaire aussi. 6. Coquelin Aîné a eu un succès fou dans le rôle de Cyrano, car il sut mieux qu'aucun autre se mettre dans la peau de son personnage. 7. A qui est ce programme par terre? — Il est à moi, je crois. — En effet, ce doit être le vôtre puisque j'ai le mien dans ma poche. 8. Cyrano se résout donc à souffler au jeune homme les mots d'amour qu'il brûle de dire à Roxane.

MISE AU POINT GRAMMATICALE

51. Possessive Pronouns

A. Table:

SINGULAR	PLURAL
le mien (*m.*)	**les miens**
la mienne (*f.*)	**les miennes**
le tien (*m.*)	**les tiens**
la tienne (*f.*)	**les tiennes**
le sien (*m.*)	**les siens**
la sienne (*f.*)	**les siennes**
le (la) nôtre (*m. and f.*)	**les nôtres**
le (la) vôtre (*m. and f.*)	**les vôtres**
le (la) leur (*m. and f.*)	**les leurs**

B. Use

1. Possessive pronouns replace a possessive adjective and a noun so as to avoid repetition of the noun. Like possessive adjectives they agree with the thing possessed and not, as in English, with the person who possesses.

2. To emphasize the possessive pronoun, or to prevent ambiguity, a disjunctive pronoun with **à** is placed after the possessive pronoun:

> Voici des gants; **les miens** sont   Here are some gloves; mine are
> meilleurs que **les siens, à elle.**   better than hers.

3. The **le** and **les** of possessive pronouns contract with **de** and **à** to **du, des** and **au, aux**:

> A-t-il besoin de mes livres et **des**   Does he need my books and his (*or*
> **siens** aussi?   hers) also?
> Il pense à mon ami et **au sien.**   He is thinking of my friend and of
>   his (*or* hers).

4. The possessive pronouns regularly denote a distinction of ownership; ordinary possession is indicated by **à** + a disjunctive pronoun:

> Cette voiture a l'air d'être **la**   This car looks like yours but it is
> **vôtre** mais c'est **la mienne.**   mine (*definitely not yours*).
>
> *But:* A qui est ce chapeau? — Il   Whose hat is this? — It's mine.
> est **à moi.**

52. Special Time Relationships Idiomatically Expressed

A. Beginning of the action — **se mettre à** + infinitive:

Il **se mit à rire**.   He began to laugh.

B. Duration of the action — **en train de** + infinitive:

Il est **en train de lire**.   He is in the act of (is busy) reading.

C. An action in the immediate future — **sur le point de** + infinitive:

Nous sommes **sur le point de par-**   We are about to leave.
tir.

D. An action in the near future — **aller** + infinitive:

Je **vais partir** tout à l'heure.   I am going to leave shortly.

E. A probable future action — **devoir** + infinitive:

Nous **devons avoir** du monde à   We are to have some guests to
dîner ce soir.   dinner this evening.

F. An action that almost took place — **manquer de** + infinitive,
faillir + infinitive:

Il a **manqué d'être tué**.   He almost got killed.
J'ai **failli tomber**.   I almost fell.

G. A very recent past action — **venir** (*pres.*) **de** + infinitive:

Il **vient de partir**.   He has just left.

H. Repetition of the action — **re** (*prefix*):

Tout le travail est à **refaire**.   All the work is to be done again.

DAILY VERBS

haïr [1]	haïssant	haï	hais	haïs
(hate)				
haïrai	haïssais	avoir haï		haïsse
haïrais	PRES. IND.	hais, hais, hait, haïssons, haïssez, haïssent		
	PRES. SUBJ.	haïsse, haïsses, haïsse, haïssions, haïssiez, haïssent		

rire	riant	ri	ris	ris
(laugh)				
rirai	riais	avoir ri		risse
rirais	PRES. IND.	ris, ris, rit, rions, riez, rient		
	PRES. SUBJ.	rie, ries, rie, riions, riiez, rient		

(sourire, smile)

[1] The vowel bearing the dieresis (trema) is pronounced separately from the
preceding vowel.

croître	croissant	crû	croîs	crûs
(*grow*)				
croîtrai	croissais	avoir crû		crûsse
croîtrais	PRES. IND.	crois, crois, croît, croissons, croissez, croissent		

PRES. SUBJ.   croisse, croisses, croisse, croissions, croissiez, croissent

(**accroître,** *increase*; *p. p.* **accru**)

CHOIX D'EXERCICES II

Exercices sur les verbes *haïr, rire, croître*

I. Remplacer l'infinitif en italique par la forme convenable du verbe et traduire la phrase

(*a*) au présent:

1. Cyrano *haïr* les abus et les préjudices.   2. Les Français *haïr* tout ce qui est laid.   3. On *rire* du nez de Cyrano.   4. De quoi *rire*-vous?   5. La renommée de Stendhal, le célèbre écrivain français du XIXe siècle, *croître* toujours.   6. Au printemps, les jours *croître*.

(*b*) à l'imparfait:

1. Napoléon *haïr* les Anglais.   2. On *rire*, rien qu'à voir la tête du Révérend Frère Gaucher.   3. Nous *rire* chaque fois que nous le voyions.   4. Les mauvaises herbes *croître* toujours dans son jardin.

(*c*) au passé composé:

1. Je le *haïr* au premier coup d'œil.   2. Il me *rire* au nez.   3. Ce garçon *croître* comme un champignon.

(*d*) au subjonctif présent:

1. Je n'approuve pas que vous le *haïr* à ce point-là.   2. Il est tout naturel que l'on *rire* d'une pièce amusante.   3. Il ne faut pas que la Seine *croître* trop.

II. Thème sur les verbes

1. You used to laugh at (*de*) me when I didn't understand.   2. You don't laugh at me any more. Now, I laugh at you.   3. We laughed at him because he thought the Latin Quarter was a piece of money. 4. I hate them as they hate me, but we laugh together just the same. 5. Do you think they hate us? I don't think so.[1]   6. These victories increase his glory.   7. The river has risen since yesterday.   8. These young ladies will grow in wisdom and beauty.

---

[1] **le.**

Exercices de grammaire

I. Traduire les mots entre parenthèses et les placer dans la phrase:

1. (*Whose*) —— est cette voiture? 2. (*mine*) C'est —— 3. (*yours*) De quelle couleur est ——? 4. (*Mine, his*) —— est grise, mais —— est noire. 5. (*theirs*) Notre équipe est bonne mais on dit que —— est très forte cette année. 6. (*mine, yours, theirs, ours*) Tout homme aime son pays. J'aime ——, vous aimez ——, les Français aiment ——, nous aimons ——. 7. (*mine, yours, ours, theirs*) Chacun doit aimer ses parents. J'aime ——, vous aimez ——, nous aimons ——, ils aiment ——.

II. Remplacer les mots en italique par des pronoms possessifs convenables:

1. *Ma ville natale* et *sa ville natale* sont la même. 2. *Mon pays* et *votre pays* sont des républiques. 3. *Ma mère* et *sa mère* sont sœurs. 4. *Leur père* et *mon père* sont dans les mêmes affaires. 5. *Nos amis* sont *vos amis*.

III. Thème grammatical

1. Of these two teams, yours seems better than ours; but I think that theirs will win the championship. 2. Whose bicycle is this? — I believe it is mine. 3. Every man has two countries: his own and also [1] France. 4. One must love one's neighbor. I love mine; do you love yours? Does he love his? 5. Whose program is this? — It must be yours, for mine is in my pocket. 6. This book is about children. It concerns yours as well as [2] mine.

IV. Thème

1. They are beginning to work. 2. She began to get dressed an hour ago. 3. Robert is busy acquiring a good knowledge of French. 4. Robert was about to take his seat when the usher asked for a tip. 5. Robert is going to take a taxi to return home. 6. He is to phone me shortly. 7. I am to see them this evening. 8. He almost drowned. 9. We almost missed the train. 10. Will you please re-read this chapter for tomorrow. 11. Come in. Your friends have just arrived and they will be delighted to see you. 12. Robert is to have many interesting experiences in France.

Thème d'imitation (facultatif)

1. The three traditional knocks announced the raising of the curtain. 2. When Robert heard some men applauding frantically, he

---

[1] **puis.** [2] **de même que.**

asked his neighbor what that meant. 3. What purpose does the claque serve? What a strange business! 4. Robert was not in the habit of hearing the applause of a claque. 5. Cyrano, as a poet, is a sensitive soul who loves beauty and hates ugliness. 6. It was quite natural, therefore, that he should fall in love with the beautiful Roxane. 7. Unfortunately, his nose was colossal. For this reason he had to hide his love for Roxane. 8. The latter had fallen in love with the handsome Christian. He is stupid but that makes no difference to her, since she does not suspect it. 9. Since Christian did not know how to talk to women, Cyrano resolved not only to prompt him in what he should say, but also to write love letters for him. 10. Christian was killed at the siege of Arras and Roxane withdrew to a convent. 11. Fourteen years after, thanks to an extraordinary sequence of events, Roxane discovered that it was Cyrano who had written all the letters and that he had always loved her. 12. This play has always made a hit, whether in France or America.

APPENDIX I

Verbs

The Regular Conjugations

I	II	III

INFINITIVE MOOD (INFINITIF)
PRESENT (PRÉSENT)

donner, *to give*	finir, *to finish*	rompre, *to break*

PARTICIPLES (PARTICIPES)
PRESENT (PRÉSENT)

donnant, *giving*	finissant, *finishing*	rompant, *breaking*

PAST (PASSÉ)

donné, *given*	fini, *finished*	rompu, *broken*

INDICATIVE MOOD (INDICATIF)
PRESENT (PRÉSENT)

I give, etc.	*I finish, etc.*	*I break, etc.*
je donne	je finis	je romps
tu donnes	tu finis	tu romps
il donne	il finit	il rompt [1]
nous donnons	nous finissons	nous rompons
vous donnez	vous finissez	vous rompez
ils donnent	ils finissent	ils rompent

IMPERFECT (IMPARFAIT)

I was giving, etc.	*I was finishing, etc.*	*I was breaking, etc.*
je donnais	je finissais	je rompais
tu donnais	tu finissais	tu rompais
il donnait	il finissait	il rompait
nous donnions	nous finissions	nous rompions
vous donniez	vous finissiez	vous rompiez
ils donnaient	ils finissaient	ils rompaient

PAST DEFINITE (PASSÉ SIMPLE)

I gave, etc.	*I finished, etc.*	*I broke, etc.*
je donnai	je finis	je rompis
tu donnas	tu finis	tu rompis
il donna	il finit	il rompit
nous donnâmes	nous finîmes	nous rompîmes
vous donnâtes	vous finîtes	vous rompîtes
ils donnèrent	ils finirent	ils rompirent

[1] The ending –t is not added if the stem ends in **d** (see **répondre**, § 2).

179

FUTURE (FUTUR)

I shall give, etc.	*I shall finish, etc.*	*I shall break, etc*
je donnerai	je finirai	je romprai
tu donneras	tu finiras	tu rompras
il donnera	il finira	il rompra
nous donnerons	nous finirons	nous romprons
vous donnerez	vous finirez	vous romprez
ils donneront	ils finiront	ils rompront

PRESENT CONDITIONAL (CONDITIONNEL PRÉSENT)

I should give, etc.	*I should finish, etc.*	*I should break, etc.*
je donnerais	je finirais	je romprais
tu donnerais	tu finirais	tu romprais
il donnerait	il finirait	il romprait
nous donnerions	nous finirions	nous romprions
vous donneriez	vous finiriez	vous rompriez
ils donneraient	ils finiraient	ils rompraient

SUBJUNCTIVE MOOD (SUBJONCTIF)
PRESENT (PRÉSENT)

I may give, etc.	*I may finish, etc.*	*I may break, etc.*
(que) je donne	(que) je finisse	(que) je rompe
tu donnes	tu finisses	tu rompes
il donne	il finisse	il rompe
nous donnions	nous finissions	nous rompions
vous donniez	vous finissiez	vous rompiez
ils donnent	ils finissent	ils rompent

IMPERFECT (IMPARFAIT)

I might give, etc.	*I might finish, etc.*	*I might break, etc.*
(que) je donnasse	(que) je finisse	(que) je rompisse
tu donnasses	tu finisses	tu rompisses
il donnât	il finît	il rompît
nous donnassions	nous finissions	nous rompissions
vous donnassiez	vous finissiez	vous rompissiez
ils donnassent	ils finissent	ils rompissent

IMPERATIVE MOOD (IMPÉRATIF)

give, etc.	*finish, etc.*	*break, etc.*
donne	finis	romps
qu'il donne	qu'il finisse	qu'il rompe
donnons	finissons	rompons
donnez	finissez	rompez
qu'ils donnent	qu'ils finissent	qu'ils rompent

The Auxiliary Verbs

INFINITIVE (INFINITIF)

PRES. avoir, *to have*   PRES. être, *to be*

PARTICIPLES (PARTICIPES)

PRES. ayant, *having*   PRES. étant, *being*
PAST eu, *had*   PAST été, *been*

INDICATIVE MOOD (INDICATIF)
PRESENT (PRÉSENT)

I have, etc.		*I am, etc.*	
j'ai	nous avons	je suis	nous sommes
tu as	vous avez	tu es	vous êtes
il a	ils ont	il est	ils sont

IMPERFECT (IMPARFAIT)

I was having, etc.		*I was being, etc.*	
j'avais	nous avions	j'étais	nous étions
tu avais	vous aviez	tu étais	vous étiez
il avait	ils avaient	il était	ils étaient

PAST DEFINITE (PASSÉ SIMPLE)

I had, etc.		*I was, etc.*	
j'eus	nous eûmes	je fus	nous fûmes
tu eus	vous eûtes	tu fus	vous fûtes
il eut	ils eurent	il fut	ils furent

FUTURE (FUTUR)

I shall have, etc.		*I shall be, etc.*	
j'aurai	nous aurons	je serai	nous serons
tu auras	vous aurez	tu seras	vous serez
il aura	ils auront	il sera	ils seront

PRESENT CONDITIONAL (CONDITIONNEL PRÉSENT)

I should have, etc.		*I should be, etc.*	
j'aurais	nous aurions	je serais	nous serions
tu aurais	vous auriez	tu serais	vous seriez
il aurait	ils auraient	il serait	ils seraient

SUBJUNCTIVE MOOD (SUBJONCTIF)
PRESENT (PRÉSENT)

I may have, etc.		*I may be, etc.*	
(que) j'aie	nous ayons	(que) je sois	nous soyons
tu aies	vous ayez	tu sois	vous soyez
il ait	ils aient	il soit	ils soient

IMPERFECT (IMPARFAIT)

I might have, etc.		*I might be, etc.*	
(que) j'eusse	nous eussions	(que) je fusse	nous fussions
tu eusses	vous eussiez	tu fusses	vous fussiez
il eût	ils eussent	il fût	ils fussent

IMPERATIVE MOOD (IMPÉRATIF)

have, etc.		*be, etc.*	
aie	ayons	sois	soyons
qu'il ait	ayez	qu'il soit	soyez
	qu'ils aient		qu'ils soient

The Compound Tenses

(Auxiliary avoir)

PERFECT INFINITIVE (INFINITIF PASSÉ)	avoir donné, *to have given*
PERFECT PARTICIPLE (PARTICIPE COMPOSÉ)	ayant donné, *having given*

INDICATIVE MOOD (INDICATIF)

PRESENT PERFECT (PASSÉ COMPOSÉ)	j'ai donné, etc., *I have given, etc.*
PLUPERFECT (PLUS-QUE-PARFAIT)	j'avais donné, etc., *I had given, etc.*
SECOND PLUPERFECT (PASSÉ ANTÉRIEUR)	j'eus donné, *I had given, etc.*
FUTURE PERFECT (FUTUR ANTÉRIEUR)	j'aurai donné, etc., *I shall have given, etc.*
CONDITIONAL PERFECT (CONDITIONNEL PASSÉ)	j'aurais donné, etc., *I should have given, etc.*

SUBJUNCTIVE MOOD (SUBJONCTIF)

PRESENT PERFECT (SUBJONCTIF PASSÉ)	j'aie donné, etc., *I may have given, etc.*
PLUPERFECT (PLUS-QUE-PARFAIT DU SUBJONCTIF)	j'eusse donné, etc., *I might have given, etc.*

(Auxiliary être)

PERFECT INFINITIVE (INFINITIF PASSÉ)	être venu(e)(s), *to have come*
PERFECT PARTICIPLE (PARTICIPE COMPOSÉ)	étant venu(e)(s), *having come*

INDICATIVE MOOD (INDICATIF)

PRESENT PERFECT (PASSÉ COMPOSÉ)	je suis venu(e), etc., *I have come, etc.*
PLUPERFECT (PLUS-QUE-PARFAIT)	j'étais venu(e), etc., *I had come, etc.*
SECOND PLUPERFECT (PASSÉ ANTÉRIEUR)	je fus venu(e), etc., *I had come, etc.*

FUTURE PERFECT (FUTUR ANTÉRIEUR)	je serai venu(e), etc., *I shall have come, etc.*
CONDITIONAL PERFECT (CONDITIONNEL PASSÉ)	je serais venu(e), etc., *I should have come, etc.*

SUBJUNCTIVE MOOD (SUBJONCTIF)

PRESENT PERFECT (SUBJONCTIF PASSÉ)	je sois venu(e), etc., *I may have come, etc.*
PLUPERFECT (PLUS-QUE-PARFAIT DU SUBJONCTIF)	je fusse venu(e), etc., *I might have come, etc.*

Orthographical Peculiarities of the First Conjugation

1. Verbs ending in −cer change c to ç before a or o, in an ending, in order to keep the soft [s] sound of c:

commencer (*commence*), commençant, commençons, commençais, commençai. BUT: commencions, commencèrent

2. Verbs in −ger change g to ge before a or o, in an ending, to keep the soft [ʒ] sound of g:

manger (*eat*), mangeant, mangeons, mangeais, mangeai. BUT: mangions, mangèrent

3. Verbs in −yer change y to i before e mute. Verbs in −ayer, however, may also retain the y.

nettoyer (*clean*), nettoie, nettoierai; **essuyer** (*wipe*), essuie, essuierai. BUT: **payer** (*pay*), paye *or* paie, payerai *or* paierai, etc.

4. Most verbs whose stem vowel is unaccented e change this vowel to è when the next syllable contains a mute e. Some of the verbs ending in −eler and −eter, however, double the l and t instead [1]:

mener (*lead*), mène, mènerai. BUT: menons, menais. **geler** (*freeze*), gèle, gèlerai; **acheter** (*buy*), achète, achèterai. BUT: **appeler** (*call*), appelle, appellerai; **jeter** (*throw*), jette, jetterai.

(a) Verbs whose stem vowel is é are like **mener,** but retain the é in the future and present conditional:

espérer (*hope*), espère, espèrent. BUT: espérerai, espérerais. **céder** (*yield*), cède, cèdent. BUT: céderai, céderais.[2]

---

[1] The general phonetic principle involved here is the avoidance of the combination "mute e + consonant + mute e." [2] The general principle involved here is that the acute accent never remains in a syllable ending in a consonant sound.

EXERCICES

Traduire en français:

(VOCABULAIRE: **acheter,** *buy;* **appeler,** *call;* **commencer,** *begin;* **corriger,** *correct;* **espérer,** *hope;* **essuyer,** *wipe;* **geler,** *freeze;* **jeter,** *throw;* **se lever,** *get up;* **manger,** *eat;* **nettoyer,** *clean;* **payer,** *pay;* **peler** (like **geler**), *peel;* **préférer,** *prefer;* **se promener,** *go walking;* **prononcer,** *pronounce;* **répéter,** *repeat;* **gant** *m. glove;* **pomme de terre** *f. potato.*)

1. I am buying an auto. 2. He will not buy that house. 3. They are calling you. 4. She was not calling me. 5. We shall call the soldiers. 6. Let's begin. 7. He was beginning. 8. We correct our exercises. 9. She is wiping her hands. 10. It will freeze tonight. 11. They are throwing it to us. 12. We used to throw it well. 13. She gets up early. 14. We get up late. 15. He used to eat a lot. 16. She is cleaning her gloves. 17. They will clean the house. 18. She prefers to stay home. 19. We shall take a walk tomorrow. 20. I hope to see you soon. 21. She is peeling the potatoes. 22. Let us pronounce well. 23. I must pay the doctor. 24. The teacher repeats the word many times. 25. You were eating the apple. 26. He calls us. 27. She used to pronounce well. 28. They will repeat the exercise. 29. They must (**Il faut que**) buy the book. 30. She will prefer to study French.

Reference List of Irregular Verbs

The numbers below indicate units in the text. For the orthographical peculiarities of verbs of the first conjugation, see page 183.

A		C		D	
absoudre	14	commettre	7	décevoir	8
accroître	16	comprendre	6	découvrir	12
accueillir	12	conclure	15	décrire	7
acquérir	15	conduire	11	détruire	11
admettre	7	connaître	9	devenir	2
aller	4	conquérir	15	devoir	5
apercevoir	8	construire	11	dire	4
appartenir	2	contenir	2	dormir	6
apprendre	6	courir	10		
asseoir	13	couvrir	12	E	
avoir	1	craindre	12	écrire	7
B		croire	4	élire	8
battre	10	croître	16	endormir	6
boire	9	cueillir	12	entreprendre	6

envoyer	6	**O**		**S**	
éteindre	12	obtenir	2	satisfaire	3
être	1	offrir	12	savoir	2
F		ouvrir	12	sentir	6
faire	3	**P**		servir	6
falloir	5	paraître	9	sortir	6
fuir	12	parcourir	10	souffrir	12
H		partir	6	soumettre	7
		peindre	12	sourire	16
haïr	16	permettre	7	souscrire	7
I		plaindre	12	souvenir	2
		plaire	9	suffire	13
inscrire	7	pleuvoir	14	suivre	11
		pouvoir	5	surprendre	6
J		prendre	6	**T**	
joindre	12	promettre	7	taire	9
L		**R**		tenir	2
lire	8	recevoir	8	traduire	11
		reconnaître	9	**V**	
M		rejoindre	12		
mentir	6	remettre	7	vaincre	13
mettre	7	rendormir	6	valoir	11
mourir	11	renvoyer	6	venir	2
N		résoudre	14	vivre	13
		revenir	2	voir	8
naître	10	revoir	8	vouloir	3
		rire	16		

A P P E N D I X II

Numbers. Dates. Time. Money. Measures

Numbers

0	zéro	14	quatorze	70	soixante-dix
1	un, une	15	quinze	71	soixante et onze
2	deux	16	seize	80	quatre-vingts
3	trois	17	dix-sept	81	quatre-vingt-un
4	quatre	18	dix-huit	90	quatre-vingt-dix
5	cinq	19	dix-neuf	91	quatre-vingt-onze
6	six	20	vingt	92	quatre-vingt-douze
7	sept	21	vingt et un	100	cent
8	huit	22	vingt-deux	101	cent un
9	neuf	30	trente	200	deux cents
10	dix	31	trente et un	201	deux cent un
11	onze	40	quarante	1000	mille
12	douze	50	cinquante	1001	mille un
13	treize	60	soixante	4000	quatre mille

1,000,000 = **un million;** 1,000,000,000 = **un milliard**

(*a*) The final consonants of the numbers 5, 6, 7, 8, 9, 10, 17, 18, 19 are pronounced except before a word beginning with a consonant (not **h** mute) when this word is multiplied by the number. However, the **t** of **sept** is now pronounced at all times.

(*b*) The **t** of **vingt** is pronounced only in the numbers from 21 to 29 (and in liaison); **t** is silent in the numbers from 81 to 99, and in 101, 102, etc.

1. The word **un,** *a* or *one,* is not used before the numeral adjectives **cent** or **mille,**[1] but **un** or **une** must be used with the nouns **centaine, millier, million,** and **milliard,** all of which also require **de,** *of,* after them:

Cent (mille) francs. One hundred (one thousand) francs.
Un million (milliard) de francs. One million (one billion) francs.

2. **Quatre-vingt** and multiples of **cent** take **s** when not followed by another number[2]:

Quatre-vingts francs. Eighty francs.
Quatre cents francs. Four hundred francs.

---

[1] See § 44C.   [2] The decree of the Minister of Public Instruction in 1901 permits the **s** even when **quatre-vingt** and **cent** are followed by another number.

BUT: Quatre-vingt-dix francs.   Ninety francs.
Quatre cent dix francs.   Four hundred and ten francs.

3. **Mille** does not take **s**. It becomes **mil** in dates, although not so frequently used as the form in hundreds [1]:

Quatre mille soldats.   Four thousand soldiers.
L'année mil neuf cent vingt *or*   The year one thousand nine hundred
 dix-neuf cent vingt.   and twenty *or* nineteen hundred
                                         and twenty.

4. **Huit** and **onze** do not permit elision (or liaison):

Le huit, le onze.   The eight, the eleven.

5. **Et** is used only in 21, 31. 41, 51, 61, 71, never in 81, 91, 101:

vingt et un, quatre-vingt-un, cent un

6. With the exception of **premier** and **second**,[2] the ordinals are formed by adding **–ième** to the cardinals. Final **e** is dropped, **u** is inserted after **cinq**, and **f** becomes **v** in **neuf.**

deuxième, quatrième, cinquième, neuvième

Dates

In dates and titles, cardinals are used for ordinals except for *first.* In dates, the English words *on* and *of* are omitted.

J'ai vu Élisabeth II le douze juin.   I saw Elizabeth II on the twelfth of
                                        June.
Napoléon Ier (premier).   Napoleon the First.
Quel jour du mois sommes-nous?   What is the date?
Nous sommes le quatorze juillet.   It is the fourteenth of July.

Time of day [3]

Quelle heure est-il?   What time is it?
Il est cinq heures dix.   It is ten minutes after five (o'clock).
Il est cinq heures (et) (un) quart.   It is quarter after five (o'clock).
Il est cinq heures et demie.   It is half past five (o'clock).
Il est cinq heures moins dix.   It is ten minutes to five (o'clock).
Il est cinq heures moins le (un) quart. It is quarter to five (o'clock).
Il est midi (minuit, *masc.*) et demi. It is half past twelve noon (mid-
                                         night).

---

[1] **Mille** is also allowed in dates.   [2] **Deuxième** is ordinarily used instead of **second** in a series of more than two, and in compounds. **Le second empire,** *the second empire* (of two); **la deuxième république,** *the second republic* (of more than two). **La vingt-deuxième page,** *the twenty-second page.*   [3] Contrary to ordinary English usage, the French gives the hour first, then adds or subtracts the minutes.

| A quelle heure ? | At what time ? |
| A huit heures du matin. | At eight o'clock in the morning *or* eight A.M. |

Money

100 **centimes** (20 **sous** [1]) = 1 **franc.** (Price varies. See the papers.)

Common weights and measures

Un mètre	= 39.37 inches (*about*)
Un centimètre	= 0.4 inch (*about*)
Un kilomètre	= $\frac{3}{5}$ of a mile (*about*)
Un kilogramme (un kilo)	= $2\frac{1}{5}$ pounds (*about*)
Une livre ($\frac{1}{2}$ kilogramme)	= $1\frac{1}{10}$ pounds (*about*)
Un litre	= 1 quart (liquid) (*about*)
Un hectare (h *mute*)	= $2\frac{1}{2}$ acres (*about*)

[1] The term **sou** is used colloquially in reckoning, but **francs** and **centimes** only are officially recognized.

APPENDIX III

Gender of Nouns

Masculine Nouns

The nouns found in the following groups are masculine:

	EXAMPLES	EXCEPTIONS
1. Names of languages	le français le latin	
2. Names of seasons	le printemps un été	
3. Names of the days of the week	le dimanche	
4. Names of the months	ce janvier cet août	
5. Cardinal points	le nord le sud	
6. Names of countries which do not end in **e**	le Canada le Japon	le Mexique
7. Most nouns ending in		
−**age**	le courage l'entourage le garage	la page[1]
−**eau**	le chapeau le plateau	la peau l'eau
−**et**	le billet	
−**ier**	le papier	
−**in**	le vin	la fin
−**ment**	le moment	
−**o**	le piano	une auto
−**ot**	le mot	
−**ou**	le genou	
−**sme**	un enthousiasme	

Feminine Nouns

The names found in the following groups are feminine:

	EXAMPLES	EXCEPTIONS
1. Names of countries ending in **e**	la France la Suisse	le Mexique
2. Names of fruit	la pomme la banane la poire	le citron le raisin [2] le melon

[1] Note also the following exceptions: **la cage, une image, la nage, la plage, la rage.** In these words **-age** is not a suffix.   [2] *Grape.*

189

3. Most nouns ending in

−aison	la maison	
−ée	la soirée	le musée
	la dictée	le lycée
−esse	la politesse	
−ette	une serviette	
−euse	la danseuse	
−ière	une ouvrière	
−ion	une expression	un million
		un avion
−té[1]	la bonté	
−trice	une actrice	
−ude	une habitude	
−ure	la nature	le murmure

A few nouns that change their meaning according to their gender

le livre, *book*   la livre, *pound*
le poste, *position*   la poste, *post office*
le tour, *trick; trip*   la tour, *tower*
le page, *page boy*   la page, *page of a book*
le garde, *keeper, guard*   la garde, *guard* (*body of troops*)

---

[1] Abstract nouns.

VOCABULARY

French-English

Personal pronouns, possessive adjectives, articles, numerals, and words similar in French and English are omitted from this Vocabulary.

A

à to, at, in; (*descriptive*) with

abandon *m.* one who drops out of a race

abord: d'— first

abriter shelter, house, be the seat of

s'absenter be (stay) away

accompagner accompany

s'accoutumer (à) become accustomed (to), get used (to)

accrocher hang

accroître increase

accueil *m.* welcome, greeting, reception

accueillir receive, greet, welcome

achat *m.* purchase

acheter buy

acquérir acquire, win, gain possession of (*through purchase*)

actuel, -le present-day

actuellement at the present time

addition *f.* check (*café*), bill

additionner add up

adieu *m.* farewell: **faire les —x** say good-bye

adresse *f.* address; **à l' — de** directed to, intended for

adresser address, send, offer; **s'—** apply to, go see, go to

affaire *f.* affair, business, matter, transaction; **faire mon —** be just what I want; **avoir votre —** have just what you want; **se lancer dans les —s** go into business

affectueu-x, -se affectionate

afficher proclaim

affirmer declare, state

affligé distressed, grieved

affranchi free

afin de in order to; **afin que** in order that

âge *m.* age; **Moyen Age** Middle Ages

Agence (*f.*) **de Théâtres** (theater) ticket agency

agir act; **s'— de** concern, be a question of

agréer accept, receive

agricole agricultural

agriculteur *m.* farmer

agriculture *f.* agriculture

aider (à) help

aigle *m.* eagle; **les —s** *f.* military standards

ailleurs elsewhere; **d'—** moreover, besides

aimable kind, pleasant
aimablement courteously, kindly
aimer like, love; — **mieux** prefer
aîné, -e elder
ainsi thus; **pour — dire** so to speak;
— **que** as well as
air *m.* air, appearance; **avoir l'—**
(de) appear, seem, look like
aise (de) glad
ajouter add
alentour: d'— of the neighborhood
allée *f.* walk, lane
Allemagne *f.* Germany
aller go; **s'en —** go away, leave;
ça ira tout seul it will be plain
sailing; **comment allez-vous?**
how are you?
allongé reclining
allumette *f.* match
alors then
amabilité *f.* kindness
ambiance *f.* atmosphere, environment
âme *f.* soul
améliorer improve
amener bring
am—er, -ère bitter
américain American
Amérique *f.* America
ami *m.*, **amie** *f.* friend; **mon —** my
dear
amour *m.* love
amoureux *m.* sweetheart, young man
in love
s'amuser (à) have a good time
an *m.* year
ancien, -ne former, ancient
anglais *adj.* English; *n.m.* English
(language)
Angleterre *f.* England
angoisse *f.* anguish, suffering
année *f.* year (*in extent*)
annoncer to make known, promise;
s'— look
anonyme anonymous
août *m.* August
apercevoir see, perceive; **s'—** notice
apéritif *m.* light drink (before a meal)
appel *m.* call

appeler call; **s'—** be called *or*
named
applaudir applaud
applaudissement *m.* applause
apporter bring
apprécier appreciate
apprendre (à) learn (how); teach
après after (*time*)
après-midi *m. and f.* afternoon
arbre *m.* tree
ardent fervent, intense, vigorous,
burning
argent *m.* money
arme *f.* branch (*of the army*); — **à**
feu firearm
armée *f.* army
s'arranger come along, come out
arrêter stop, arrest; **s'—** stop
arrière-grand-père *m.* great-
grandfather
arrivée *f.* arrival
arriver arrive, happen; — **à** succeed
art *m.* art; **d'—** skilled
s'asseoir sit down
assez (de) enough, rather
assidu assiduous, diligent; attending
regularly and eagerly
assimiler assimilate
assis seated
assister (à) attend
assomption *f.* assumption; **l'As-**
somption Feast of the Assumption
attachant engaging, winning, interesting
atteindre attain, reach
attendre wait, wait for, expect;
s'— à expect
attente *f.* waiting; **répondre à son**
— come up to one's expecta-
tions
attention *f.*: **faire —** look out, beware
attirer attract
aucun *adj.* no; *pron.* none
au-dessus above
aujourd'hui today
auparavant before, previously
auprès de from
aussi as, also, consequently, so

aussitôt at once, immediately; — **que** as soon as

autant (de) as many, as much; **d'**— **plus . . . que** all the more . . . because (as)

auteur *m.* author

automne *m.* autumn

autour (de) around

autre other, different

autrefois formerly

autrement otherwise

Autriche *f.* Austria

avance *f.*: **à l'**— in advance

s'avancer advance

avant (de) before (*time*); — **que** before

avec with

avenir *m.* future; **à l'**— in the future

avis *m.* opinion; **être d'**— be of the opinion

s'aviser (de) take it into one's head

avoir have; — **beau** + *inf.* do something in vain (without success); — **besoin de** need; — **chaud** be hot; — **envie (de)** feel like; — **faim** be hungry; — **froid** be cold; — **hâte (de)** be in a hurry; — **honte** be ashamed; — **peur (de)** be afraid; — **raison (de)** be right; — **soif** be thirsty; — **sommeil** be sleepy; — **tort (de)** be wrong; — **votre affaire** have just what you want; — **de la peine à** have difficulty in; **il y a** there is (are); **il y a** + *expression of time* ago; — **à cœur** have one's heart set on; — **l'air** appear, seem

avouer confess

azur sky blue

B

bal *m.* dance

ballon *m.* inflated ball (*for football*)

bandoulière: en — slung over the shoulder

banlieue *f.* suburbs

banquette *f.* bench; wall sofa, double seat (*in a restaurant*)

baptiser baptize

barbe *f.* beard

barbu bearded, bewhiskered

bardé (de) covered (with)

basilique *f.* basilica

bateau *m.* boat

bâtiment *m.* building

bâtir build

battre beat; — **les cartes** shuffle; **se** — fight

bavarder chat, gossip

beau, bel, belle beautiful; **avoir beau** + *inf.* do something in vain (without success); **beau** *m.* all that is beautiful

beauté *f.* beauty

bénéfice *m.* profit; **avoir un** — make money

besoin *m.* need; **avoir** — **de** to need

bibelot *m.* trinket, knickknack

bibliothèque *f.* library

bien well, very clearly, favorably, very much, a great deal, much, many; — **de** + *def. art.* many; — **des fois** many times; — **entendu** of course; — **que** although

bientôt soon

bienveillance *f.* good will, kindness

bienvenu: soyez le — welcome

bienvenue *f.* welcome

bière *f.* beer

billet *m.* ticket; note; — **doux** love letter

blanc, blanche white

bleu blue

boire drink

boîte *f.* box

bon, -ne good

bonbon *m.* (piece of) candy; —**s** candy

bonheur *m.* good fortune, happiness

bonjour *m.* good morning

bonne *f.* maid

bonsoir *m.* good evening

bonté *f.* kindness

bord *m.*: **au** — **de la mer** at the seashore

bouche *f.* mouth

boucle *f.* loop

bouddha *m.* Buddha

bouquiniste *m.* seller of old books

bourgogne *m.* Burgundy wine

bousculade *f.* jostling

bout *m.* end; **au — de** at the end of, after

bouteille *f.* bottle

boutique *f.* shop

bras *m.* arm

brave fine, nice, honest, brave

bravoure *f.* bravery

bribes *f. pl.* odd bits

brioche *f.* bun

brûler burn

bruyant noisy

bûcher *m.*: **mourir sur le —** be burned at the stake

buffet *m.* refreshment room

bureau *m.* office

but *m.* purpose, aim, object

butte *f.* hillock; **la Butte** *popular name for the Montmartre Quarter*

C

ça *see* **cela**

cadeau *m.* gift, present

cadet *m.* youngest son; **—s de Gascogne** *regiment composed of young Gascons*

cadre *m.* frame, setting

café *m.* coffee; **— noir** coffee without sugar or cream

caisse *f.* case, box

camarade *m. and f.* comrade, friend

cantique *m.* hymn

car *conj.* for (*cause*)

carrière *f.* career

cas *m.* case; **en tout —** at any rate

casque *m.* helmet

cause *f.* cause; **à — de** on account of

ceinture *f.* belt

cela (**ça**) that; **c'est —** that's it, that's right

célébrer celebrate; **se —** be celebrated

celui, celle (**ceux, celles**) that one, this one (these, those); **—-ci** the latter; **—-là** the former

cent (a) hundred

centaine *f.* about a hundred

centenaire *m.* hundredth anniversary

centre *m.* center; **en plein —** right in the center

cependant however

céréales *f. pl.* cereal plants, grains

cerf *m.* deer

cerveau *m.* brain

cesser (**de**) cease, stop

c'est-à-dire that is (to say)

chacun each one

chahut *m.* booing

chahuter make a noisy disturbance, express disapproval, boo

chaise *f.* chair

chaleur *f.* heat

chaleureusement warmly, heartily

chambre *f.* room

champ *m.* field

Champagne *f.* ancient French province

champagne *m. wine from the province of Champagne*

champignon *m.* mushroom

Champs-Élysées *the best-known and most impressive avenue in Paris, extending from the Place de la Concorde to the Place de l'Étoile*

chance *f.* luck, piece of luck

chanson *f.* song

chanter sing

chapeau *m.* hat

chaque each

charmant charming

chasseur *m.* doorman

chaud hot; **il fait —** it is hot (weather)

chef *m.* chief

chef-d'œuvre *m.* masterpiece

chemin *m.* road, way; **— de fer** railroad

chèque *m.* check

cher, chère dear, expensive; **mon cher** my dear fellow; **ma chère** my dear

chercher (**à**) look for, seek; try to

cheval *m.* horse

chevalier *m.* knight

chez at the house of, among, in the case of

chic elegant, swell; **un — à** hurray for

chiffre *m.* figure

chœur *m.* chorus, choir

choisir choose

choix *m.* choice

chose *f.* thing; **quelque — ** *m.* something

chronique *f.* chronicle; **faire la —** tell the events

ciel *m.* sky, heaven

cierge *f.* wax candle, taper (*for religious purposes*)

ci-inclus herein enclosed

cinéma *m.* movies

circulation *f.* traffic

cité *f.* city, ancient part of a city; **Cité Universitaire** *group of student buildings and dormitories of the University of Paris* (*see map*)

citron *m.* lemon; **— pressé** lemonade

civière *f.* stretcher

clair clear

clore to close

cœur *m.* heart; **avoir à —** have one's heart set on; **de tout —** heartily

coin *m.* corner, spot

combattant *m.*: **ancien —** exserviceman

combien (de) how much, how many

commandant *m.* commanding officer, major

commande *f.* order

comme as

commencer (à) begin, start, commence

comment how

commerçant *m.* tradesman, merchant

commun common

compagnon *m.* companion

compétence *f.* ability

comprendre understand; include, comprise

compte *m.* account; **se rendre —** **(de)** to realize; **— rendu** report, account

compter expect, count

comte *m.* count (*title*)

conclure conclude

concourir compete

concours *m.* competitive examination; assistance

conduire lead, conduct, take

conduite *f.* conduct

conférence *f.* lecture, conference

confier confide, trust, entrust

confondre confuse

connaissance *f.* acquaintance, knowledge

connaître be acquainted with, know; **s'y —** be an expert (connoisseur)

connu known, well known

conseil *m.* advice, counsel; **suivre les —s de** take the advice of

conseiller (de) advise

consentir (à) consent

conservatoire *m.* conservatory

consommateur *m.* customer (*in a café*)

consommation *f.* drink, what one is drinking

constitué constituted, established

contenir hold, contain

content (de) glad, satisfied (with)

contenu *m.* content

continuer continue

contraire *m.* contrary; **au —** on the contrary

contre against; **par —** on the other hand

contredit *m.* contradiction

convenable suitable, convenient

convenir agree; be suitable (convenient, proper), be the right thing to do

coquet, -te attractive, elegant

Corée *f.* Korea

correspondance *f.* connection (between cars, trains, etc.), station (where one changes cars, trains, etc.)

costume *m.* suit, costume; **—s** clothes

côte *f.* coast; **Côte d' Azur** Riviera

côté *m.*: **de (mon) —,** for (my) part; **à — de** beside; **— cour** on the court side; — **jardin** on the garden side

couleur *f.* color

coup *m.* stroke, blow, knock; — **de téléphone** telephone call, ring; — **d'œil** glance; **tout à** — suddenly; **tout d'un** — all at once

cour *f.* court

couramment fluently

courant *m.* current; **être au** — **de** be informed about

coureur *m.* runner, racer, track athlete

courir run, hunt

cours *m.* course (*of study*); **au** — **de** in the course of; **en** — **de** during

course *f.* race

court short

courtoisie *f.* courtesy

coûter cost

coutume *f.* custom

coutumi–er, –ère (de) in the habit of, as is one's custom

couvert covered

craindre (de) fear

crainte *f.* fear; **avoir** — be afraid

créer create

crépusculaire (of) twilight

cri *m.* cry

critique *f.* criticism

crochet *m.* hook; turn; **faire un** — **par** swing around by

croire believe, think

croissant *m.* crescent

croître grow, increase, grow longer, rise

croix *f.* cross; **Croix de Guerre** *French war decoration*

cuisant: chaleur —**e** scorching heat

cuisine *f.* kitchen; (cooked) food

culturel, –le cultural

curiosité *f.* curio

D

dans in, into

danser dance

de of, from, concerning, for, about, some, by, in, at, on, to, with

déboucher emerge, issue forth

debout standing

se débrouiller get along, get out of difficulty

début *m.* beginning

déchirer tear

décider (de) decide; — **(quelqu'un) à** induce (someone) to; **se** — make up one's mind

déclamer recite, deliver

décor *m.* stage setting

décoration *f.* medal of honor

découverte *f.* discovery

découvrir discover

décrocher obtain (*popular*); take down; unhook

dédaigner disdain, spurn

dédicace *f.* dedication; **écrire une** — to autograph

déduire infer, deduce, assume

défendre (de) forbid

défilé *m.* procession, parade

dehors outside

déjà already

déjeuner have breakfast; have lunch

déjeuner *m.* lunch

délectable delicious

délicieu–x, –se delicious

demain tomorrow

demande *f.* request

demander (de) ask, ask for, request; **se** — wonder

demeurer dwell, live, remain

demi half

demi-botte *f.* half boot, combat boot

demi-cercle *m.* semicircle

dénicher discover

dénouement *m.* unraveling of the plot

départ *m.* departure

dépaysé out of one's element, lost

se dépêcher hurry

dépit *m.*: **par** — out of spite

déposer deposit

depuis since, for; — **quand?** how long?

déranger disturb

derni–er, –ère last

se dérouler occur, take place, be unfolded, be displayed, be unfurled

derrière behind

dès from the moment of, from, as early as; **— que** as soon as

descendre go down, descend; stay (*at a hotel*)

désespérer despair

désespoir *m.*: **par —** in despair

désirer desire, want; *see* **laisser**

désolé very sorry

dessein *m.* plan, design, intention

devant before (*place*)

devanture *f.* (show) window, shop front

devenir become

deviner guess

dévoiler unveil, divulge, disclose

devoir ought, should, must, have to, be; owe

devoir *m.* duty, homework

dévoué devoted; vours truly

dévouement *m.* attachment, loyalty

Dieu *m.* God

diminuer diminish

dire (de) tell, say; **c'est-à- —** that is to sav; **vouloir —** mean; **dites donc** say, look here; **je te l'ai bien dit** I told you so; **pour ainsi —** so to speak; **en — des nouvelles** be delighted, be agreeably surprised

direction *f.* management, guidance

diriger direct; **se —** direct one's steps, make one's way

discours *m.* speech, address

discuter discuss

disparaître disappear

disperser scatter, detach

distingué distinguished

distraire amuse, divert

divers various, varied

divertissant amusing

divertissement *m.* entertainment, diversion

domaine *m.* domain

dominant ruling, leading; **ordre —** pressing nature

dommage *m.*: **c'est —** it is too bad

donc: (*after verb*) do . . .; **pensez —!** think nothing of it! what an idea!

donner give

Don Quichotte Don Quixote

dont of which, of whom, whose

dormir sleep

dos *m.* back

doté endowed

douanier *m.* customs officer

douceur *f.* gentleness, sweetness

douloureu-x, -se painful, sorrowful, bringing grief

doute *m.* doubt

douter doubt: **se — (de)** suspect

dou-x, -ce gentle, sweet

drame *m.* drama

drapeau *m.* flag; **— tricolore** tricolor (*French flag*)

se dresser rise up

droit *adj.* straight, right; **à ma —e** to my right; *n. m.* right; law

drôle strange; **— de** queer

dur hard, harsh

durant during

durer last

E

eau *f.* water

ébéniste *m.* cabinetmaker

éblouir dazzle

échanger exchange

éclair *m.* lightning; **en un —** in a flash, speedily

s'éclairer light up

éclatant brilliant, sparkling

éclater break out, burst forth

écouter listen (to)

écrire write

écrit *m.* written examination, something which must be written

écrivain *m.* writer

édition (*f.*) **de luxe** specially bound edition

effet *m.* effect; **en —** as a matter of fact, indeed

s'effondrer collapse

s'efforcer (de) strive, endeavor, make great efforts

également also, likewise, equally

égard *m.* respect; **à son —** toward him; **à l'— de** with regard to

élève *m. and f.* pupil
élevé high, lofty, noble
s'élever rise
éloigné distant, far away
emblée: d'— right away, straight off, at once
embrouillé confusing, mixed up
émerveillé amazed
émouvant moving, touching
empêcher (de) prevent (from)
emporter bring along, carry away, take away
empreinte *f.* imprint, impression
s'empresser (de) hasten, be eager to
ému moved, touched
en in, within, like
encadrer frame
enchanté delighted
enchant–eur, –eresse delightful, charming
encore more, moreover, furthermore; yet, still
endroit *m.* place
enfin finally, after all
s'engager begin
enrichissant which adds to one's knowledge and experience, broadening
enseignement *m.* teaching, instruction, education
ensuite next
entendre hear; se faire — be heard; — parler (de) hear of, hear spoken
entendu understood; bien — of course; c'est — all right, O.K.
enti–er, –ère entire
entourer surround
entr'acte *m.* intermission
entre between
entrée *f.* entrance
entrer (dans) enter, come in; faire — let in, show in; — en contact come in contact
entretenir keep up, maintain
envahir invade
envie *f.* desire; avoir — (de) feel like
environ about
environs *m. pl.*: aux — about the time

envoyer send
épancher pour forth
épargner spare
épaule *f.* shoulder
épée *f.* sword
épinglé pinned
époque *f.* period
épouser marry
épreuve *f.* test, ordeal, race
épris (de) in love (with), smitten (with)
éprouver experience, feel
équipe *f.* team
équipier *m.* teammate
escalier *m.* stairway
espacé spaced; intervalles peu espacés short intervals
Espagne *f.* Spain
espérer hope
espoir *m.* hope
esprit *m.* spirit, mind, wit
essayer (de) try
estudiantin *adj.* student
et and; — . . . — both . . . and
étage *m.* floor
étaler display, spread out
étape *f.* lap, stage
état *m.* state
États-Unis *m. pl.* United States
été *m.* summer; en plein — in midsummer
éteindre extinguish
étendre extend; s'— stretch out, extend
étoile *f.* star
étonnant surprising, astonishing
s'étonner be astonished
étrange strange
étranger *m.* stranger, foreigner
être be; — de retour be back; — des nôtres join us, be with us; — parfait be in the swing; il est à moi it is mine; j'y suis! I get it!
étroit narrow
étude *f.* study; faire des —s to study
étudiant, -e *m. and f.* student
étudier study
événement *m.* event

éventaire *m.* showcase
évidemment evidently
éviter avoid
évoquer recall, bring back
exécuter play
exemple *m.* example; par — for example
exiger require
expert *m.* expert
explication *f.* explanation
expliquer explain
exposition *f.* exhibition
exprimer express
s'extasier go into ecstasy
extrait *m.* extract
extrêmement extremely, very

F

face (à) *f.* facing
fâché very sorry, angry
facile easy
façon *f.* way, method, means
faculté *f.* faculty, school (*of law, medicine, letters, etc., in a university*)
faillir (+ *inf.*) almost (*do something*)
faim *f.* hunger; avoir — be hungry
faire do, make, take, cause (*to be done*), have, order, grant, give, play (*music*), be (*weather*), train, mean; — attention look out, beware; — beau be beautiful (weather); — bien (de) do well to, be right; — entrer show in, let in; se — entendre be heard; — des études study; se — mal hurt oneself; — de (son) mieux do (one's) best; — part inform; — partie (de) be a part of, belong to; se — un plaisir de be glad to; — (son) possible do (one's) best; — la queue stand, wait in line; — un tour take a stroll; — un voyage take a trip; — venir send for; — voir show; cela ne fait rien that makes no difference, it is all the same; faites comme chez vous make yourself at home; faites que grant that; ne fait que only, merely

fait *m.* fact, deed; en — de in the matter of
falloir must, be necessary; peu s'en faut very nearly so, almost
fatigué tired
fauteuil *m.* armchair; orchestra seat
fauti–f, –ve at fault
fau–x, –sse false
faveur *f.* favor; à la — de by means of
félicitation *f.* congratulation
femme *f.* woman; ma — my wife
fenêtre *f.* window
fer *m.* iron; chemin de — railroad
fermer close; — la marche bring up the rear
fête *f.* feast, holiday, celebration; — nationale *July 14*
fêter entertain, welcome
feu *m.* fire; arme (*f.*) à — firearm
fidèlement faithfully
fi–er, –ère proud
fier trust; se — à rely upon
figure *f.* face, figure, personage
file *f.* file, line; à la — indienne in Indian file, in single file
fils *m.* son
fin *f.* end
finir (de) finish
flamboyant striking
flâner saunter, loiter
flèche *f.* arrow; spire
fleur *f.* flower
flottement *m.* wavering; jours de — adaptation
foi *f.* faith; ma —! well! upon my word!
fois *f.* time; à la — both, at the same time
follement greatly, wildly
fonctionnement *m.* functioning
fond *m.* bottom; rear, back; background, basis, theme
fonder found, establish
former form, train
fort strong
fortement strongly, greatly, much
fou, fol, folle crazy
foule *f.* crowd

fournir furnish

foyer *m.* home, hearthstone; lobby (*theater*)

frais, fraîche fresh

français *adj.* French; **à la ——e** after the fashion of the French, in the French manner; *n. m.* French language

franchement frankly

frappant striking, impressive

frapper strike, knock; surprise, astonish

frénétique frenzied

fréquentation *f.* frequent visits

fréquenter visit often, associate with

frère *m.* brother

frondeu-r, -se carping, railing, critical

fronton *m.* façade, pediment, ornamental front

fuir flee

G

gâcher ruin, spoil

gagner win; earn

gai cheerful, gay

garçon *m.* boy, young man; waiter

garde *f.*: **prendre —** take care, beware

gare *f.* railroad station

Gascogne *f. ancient French province*

gâteau *m.* cake

gaufrette *f.* sugar wafer

Gaule *f.* Gaul

gave *m.* mountain stream, torrent (*in the Pyrenees*)

gazon *m.* grass

générale *f.*: **la —** the general's wife

genre *m.* type, kind

gens *m. and f. pl.* people

gentil, -le nice, kind, agreeable, pretty

gentillesse *f.* kindness, graciousness

gérant *m.* manager

gloire *f.* glory

goût *m.* taste; **prendre — (à)** come to like

goûter taste, enjoy

grâce *f.* thanks; **— à** thanks to

grand great, large, big, main

grandeur *f.* greatness

grandiose imposing

gratte-ciel *m.* skyscraper

gratuit free, gratis

gré *m.*: **à (leur) ---** according to (their) wishes, as (they) pleased; **savoir --- de** be grateful for

grec, -que Greek

gris grey

gros, -se big, fat

grotte *f.* grotto

grouper group

guère: ne ... -- scarcely

guérir cure

guerre *f.* war; **partir en —** go to war

guêtres *f.* leggings

guichet *m.* ticket window

H

habile skillful, capable, clever

s'habiller to dress, get dressed

habit *m.* dress; **les —s** clothes

habitude *f.* habit; **d'—** usually

s'habituer (à) become accustomed to, get used to

haïr hate

Halles Centrales *central market of Paris*

hasard *m.* chance; **par —** by chance

haut *adj.* high; **à —e voix** aloud; *n.m.* top

hebdomadaire weekly

hellénique Greek

herbe *f.*: **les mauvaises —s** weeds

hésiter (à) hesitate

heure *f.* hour, time; **à la bonne —!** fine! **tout à l'—** shortly, in a little while; **de bonne —** early; **à l'—** on time

heureusement fortunately

heureu-x, -se happy

hier yesterday

hiver *m.* winter

hommage *m.*: **mes —s** my respects

homme *m.* man

honte *f.* shame; **j'ai — (de)** I am ashamed

hôte *m.* host; guest

hôtel *m.* large public building; mansion, hotel; **— de Bourgogne** *name of a troupe of actors who produced plays in a part of the remains of this mansion*

huissier *m.* usher, doorkeeper, attendant

I

ici here; **par —** this way

idée *f.* idea

il y a (+ *time word*) . . . ago

illuminer light up; **s'—** be illuminated

imaginer imagine

impeccable faultless, spotless

importer be important; **n'importe quoi** anything at all, it makes no difference

impressionnant impressive

inaugurer inaugurate, dedicate

s'incliner dip

indien, -ne Indian; **à la file indienne** in Indian file, in single file

indiquer point out

inespéré unhoped for

infinité *f.* infinite number

infirmière *f.* trained nurse

informer to advise, inform

inonder flood, inundate

inoubliable unforgettable, never to be forgotten

inouï unheard of

inqui-et, -ète (de) worried (about)

inscription *f.* registration

s'inscrire register

instant *m.* instant; **à l'—** (at) this very moment

instructeur *m.* instructor

instruction *f.* education, schooling, tuition

instruire instruct; **s'—** improve oneself

intention *f.* intention; **à leur —** for them; **avoir l'— (de)** intend (to)

intéresser interest

intérêt *m.* interest

intime private, intimate, family, home

intriguer intrigue, mystify

inutile useless

inviter (à) invite

ionique Ionic

issu (de) sprung (from), descended (from)

itinéraire *m.* path followed, itinerary

J

jamais ever, never; **ne . . . —** never

jardin *m.* garden

jaune yellow

jeter throw, cast

jeune young

jeunesse *f.* youth

joie *f.* joy

joindre join; **se —** be joined, join

joli pretty

jouer play; **se —** be played

jouir (de) enjoy

jour *m.* day; **tous les —s** every day; **quinze —s** a fortnight; **huit —s** a week; **le — de l'an** New Year's Day

journal *m.* daily paper; **(mon) —** diary

journée *f.* day (*in extent*)

juillet *m.* July

jusqu'à as far as; **jusqu'à ce que** until

juste right, just, fair; **au — pre**cisely, exactly; **à — titre** rightly

justement as it happens, exactly, precisely

L

là there; present, here; **par —** that way

là-dessus thereupon

là-haut: tout — far up

laid ugly

laideur *f.* all that is ugly

laisser leave, allow; **— à désirer** leave room for improvement

lait *m.* milk

lancer throw, start, promote; **se —
dans les affaires** go into business
langue *f.* language
Languedoc *m. ancient French province*
leçon *f.* lesson
lecture *f.* reading
leg–er, –ère light
légion *f.* legion; **Légion Étrangère**
Foreign Legion (*an infantry regiment stationed in Algeria, open to
all foreigners over eighteen years of
age*); **Légion d'honneur** Legion
of Honor (*founded by Napoleon in
1802 to reward those who have made
outstanding civil or military contri-
butions to France*)
lequel *m.*, **laquelle** *f.* which one
lettre *f.* letter
lever raise; **se —** get up
lever *m.* raising; **au — du rideau** as
the curtain rises
libre free, unoccupied
lieu *m.* place; **avoir —** take place;
au — de instead of; **s'il y a —** if
there is reason (need)
ligne *f.* line
liqueur *f.* cordial
lire read
litre *m.* liter
livre *m.* book
loin far; **au —** in the distance
loisir *m.* leisure
long, –ue long; *n. m.* length; **le
— de** along
longtemps a long while
lors at the time of
lorsque when
louer rent; **— une place** buy a seat
(in advance)
loyalement loyally, truthfully; **—
dévoué** yours truly
lumière *f.* light
lundi *m.* Monday
lune *f.* moon
luxe *m.* luxury
lycéen *m.* student in a lycée (*French
secondary school*)
lyrique musical

M

magasin *m.* store
maillot *m.* jersey, light sweater
main *f.* hand; **à la —** in (one's)
hands; **poignée de —** handshake
maintenant now
mais but
maison *f.* house
maître *m.* teacher, master; **—
d'hôtel** headwaiter
mal *adv.* badly; *n. m.* evil; ache;
avoir — à la tête have a headache; **se faire —** hurt oneself
malade *m. and f.* sick person
malgré in spite of
malheur *m.* misfortune
malheureusement unfortunately
malicieusement slyly, mischie-
vously
manger eat
manifestation *f.* collective demon-
stration
manifester make known; **se —** be
made known, show itself
manquer (de) miss, fail to, be
without, almost . . .
marchand, –e *m. and f.* merchant
marche *f.* march; **ouvrir la —** head
the procession; **fermer la —**
bring up the rear
marcher walk
mardi *m.* Tuesday
maréchal *m.* marshal (*highest French
military rank*)
mari *m.* husband
marque *f.* proof, evidence, mark
marquer mark, stamp, impress
Marseillaise *f. French national an-
them*
mât *m.* flagpole
matin *m.* morning; **le —** in the
morning
matinée *f.* morning (*in extent*)
mauvais bad; **il fait —** it is bad
(weather)
méchant mean, wicked
mécontent dissatisfied, displeased
médecin *m.* physician, doctor

meilleur *adj.* better; **le —** best
même *adj.* same, very, itself; *adv.* even; **à — de** able to, capable of; **de — que** just as
mémorable never to be forgotten, eventful
ménagère *f.* housewife
mener lead
menteu-r, -se lying
mentir lie
mer *f.* sea
merci thanks
mère *f.* mother
mériter deserve
merveille *f.* marvel
merveilleusement marvelously, wonderfully
merveilleu-x, -se marvelous
métro *m.* Paris subway
mets *m.* dish (*of food*); **les —** (prepared) food
mettre put; put on; **— au courant (de)** inform, tell about, put in touch with; **se — à** start, begin
Midi *m.* southern part of France
mieux *adv.* better; **aimer —** prefer; **pour le —** for the best; **au —** to the fullest
milieu *m.* social environment
mille *m.* thousand
millier *m.* about a thousand
ministère *m.* ministry, government department
mise au point *f.* bringing into focus
misère *f.* poverty
missive *f.* letter
mitraillette *f.* submachine gun
mœurs *f. pl.* habits, manners, customs
moindre: être la — des choses not to amount to anything
moins less; **à — que** unless
mois *m.* month
moitié *f.* half
monde *m.* world; people; **tout le —** everybody
mondial *adj.* world
monsieur sir, Mister
montagne *f.* mountain

monter go up, climb; **— dans** get in, enter
morceau *m.* piece
mort *f.* death
mot *m.* word, note
mou, mol, molle soft
mourir die
moyen, -ne middle, average
moyen *m.* means, way
muet, -te mute, dumb
multiple *a* great many, numerous, many different
se multiplier be multiplied, increase
mur *m.* wall
musée *m.* gallery, museum
musique *f.* music; band
mutilé *m.* disabled soldier

N

naissance *f.* birth
naître be born
natal where one is born
navré (de) very, very sorry
ne: — ... guère scarcely; **— ... jamais** never; **— ... pas** not; **— ... plus** no more, no longer; **— ... point** not at all; **— ... que** only; **— ... rien** nothing; **— ... aucun** no, not one
néanmoins nevertheless
négliger (de) neglect
neige *f.* snow
nettement definitely, distinctly
neu-f, -ve brand-new; **quoi de —?** what's new?
neveu *m.* nephew
nez *m.* nose; **rire au — de quelqu'un** laugh in someone's face
noir black
nom *m.* name
nombre *m.* number
nombreu-x, -se numerous
nommer name
non no, not
nôtre: le —, la — ours; **être des —s** join us, be with us
nouveau, nouvel, nouvelle new,

different, new-style; **à nouveau** again

nouvelle *f.* news; **en dire des —s** be agreeably surprised, be delighted

nuit *f.* night

O

obligatoirement: assister — com- pulsory attendance

obtenir obtain

occasion *f.* time, occasion, opportunity, chance; **avoir l' —** have the chance

œil *m.* (*pl.* **yeux**) eye

œuvre *f.* work (*production of the mind*)

offre *f.* offer

offrir (de) offer, give, serve

omettre omit, neglect, fail

on one, they, we, people

oncle *m.* uncle

or *m.* gold

ordonner (de) order

ordre *m.* division, class; **— dominant** pressing nature

oreille *f.* ear; **je suis tout —s** I'm all ears

organiser organize, arrange

s'orienter get one's bearings

oser dare

où where, when; **— que** wherever

oublier (de) forget

ouest *m.* west

outre-mer beyond the seas, overseas

ouvert open; **à tombeau —** as if inviting death, at breakneck speed

ouvreuse *f.* usher

ouvrier *m.* workman

ouvrir open; **— la marche** head the procession

P

pain *m.* bread

paix *f.* peace

palissade *f.* fence

palpitant exciting, thrilling

papier *m.* paper; **mes —s** my identity papers

Pâques *m.* Easter

par by, a, each, on; through; **— là** that way; **— ici** this way

paraître appear, seem

parcourir cover, ride over, look over

parcours *m.* run

pardon! I beg your pardon!

pareil, –le similar, like

parfait perfect, complete; **—!** fine! capital! **être —** be in the swing

parfaitement perfectly, certainly

parfois at times, sometimes

pari *m.* bet

parisien, –ne *adj.* Parisian, in Paris; **Parisien, –ne** *m. and f.* Parisian

parler speak, talk

parler *m.* style of speech, manner of talking

parmi among

parole *f.* spoken word; **prendre la —** speak

part *f.* portion, share, part; **faire —** inform; **de — et d'autre** on (from) both sides

parterre *m.* pit (*theater*)

parti *m.* decision; **prendre le — de** decide to

participer (à) take part (in)

particuli–er, –ère special, particular

particulièrement especially

partie *f.* part, game; **faire — (de)** be a part (of), belong to

partir leave, depart

partout everywhere

parvenir (à) to succeed (in)

pas *m.* step; **à deux — (de)** close by, near, a few steps from

passant *m.* passer-by

passé *m.* past

passer (à) pass, spend, pass by; **— à table** go into the dining room; **— un examen** take (undergo) an examination; **se —** take place, get along, go on, happen; **se — de** do without

passionné passionate

patrie *f.* country, fatherland

pauvre poor

pavillon *m.* building, detached house;

general name used for the dormito-
ries at the Cité Universitaire
pays *m.* country
peau *f.* skin; **se mettre dans la** —
   de son personnage throw oneself
   into one's part, interpret a role
pêche *f.* peach
peine *f.* trouble, difficulty; **à** —
   hardly, scarcely; **en valoir la** —
   be worth while
pèlerin *m.* pilgrim
pèlerinage *m.* pilgrimage
peloton *m.* group
pelouse *f.* lawn
pendant during
pénétrer dans enter
pénible painful, difficult, hard
pensée *f.* thought
penser think; — **à** think about; —
   donc! what an idea! think nothing
   of it! **j'y pense!** by the way!
pente (*f.*) **raide** steep slope
perdre lose
père *m.* father
se perfectionner perfect oneself, train
permettre (**de**) permit, allow; **se** —
   take the liberty
petit small, little
peu few, little; — **à** — little by little,
   à — **près** nearly, almost; **un tout**
   petit — just a little bit
peuple *m.* people, race
peur *f.* fear; **avoir** — (**de**) be afraid
peut-être perhaps
phrase *f.* sentence
physique *m.* personal appearance
pièce *f.* piece; room; play
pied *m.* foot
piscine *f.* pool, tank
piste *f.* track
pittoresque picturesque
place *f.* seat, place, theater ticket;
   square, concourse
plaindre pity; **se** — complain
plaire please; **plaise à Dieu** God
   grant; **se** — be happy
plaisir *m.* pleasure; **avoir** — **à** take
   pleasure in, be pleased to; **se faire**
   un — **de** be glad to

plan *m.* map, plan; **au premier** —
   in the foreground
plateau *m.* tray
plein (**de**) full (of)
pleinement fully, to the full
pleuvoir rain
plume *f.* feather, plume; pen
plupart *f.* most
plus more; **ne . . .** — no more, no
   longer; **de** — moreover; **non** —
   either
plusieurs several
plutôt rather
poche *f.* pocket; **connaître Paris**
   comme sa — know Paris extremely
   well
poignée (*f.*) **de main** handshake
poilu *m.* French infantryman (*of the*
   First World War)
point *adv.*: **ne . . .** — not at all
point *m.*: **sur le** — **de** about to
poitrine *f.* chest
politesse *f.* politeness, exchange of
   compliments
poltron *m.* coward
pont *m.* deck, bridge
porte *f.* door
porter carry, wear
poser put, set, place; **se** — (**sur**)
   perch, light (upon)
posséder possess
possible: le plus vite — as fast as
   possible; **faire** (**son**) — do (one's)
   best; **le plus** — as much as possible
poste *f.* post office
poulailler *m.* roost; *fig.* top gallery
pour for, in order; — **que** in order
   that
pourboire *m.* tip
pourtant however
pourvu que provided that
pousser push, utter, inspire, grow
poussière *f.* dust
pouvoir be able, can; **il se peut** it
   may be; **je n'en peux plus** I
   can't eat any more, I can't go on;
   on ne peut plus . . . as (*adj.*) as
   possible; **puis-je?** may I?
pratique practical

précieu–x, –se precious, valuable; (*m. and f.*) *person of affected or exaggerated tastes in clothing, as well as in literature*

prédilection *f.* preference, partiality, weakness

préférer prefer

premi–er, –ère first; **au —** on the second floor

première *f.* first performance, first night

prendre take; **— garde** take care, beware; **— plaisir à** take pleasure in; **— le parti de** decide; **à tout —** everything considered; **— goût** come to like; **— la parole** speak; **— une place** buy a ticket

préparer prepare; **se —** à get ready to

près (de) near; **à peu —** almost, nearly

présentation *f.* introduction

présenter introduce, present, offer

presque almost

presser rush, press; **rien ne vous presse** there is no hurry

prêt (à) ready

prêter lend; **— attention** pay attention

prêtre *m.* priest

prévoir foresee

prier (de) request, ask, pray; **je vous prie** please

prière *f.* prayer, request

printemps *m.* spring

prix *m.* price; prize; **à tout —** at all costs

prochain next

procurer secure, get, procure

professeur *m.* professor

projet *m.* project

promenade *f.* walk, stroll

se promener take a walk, stroll

prometteu–r, –se tempting, promising

promettre (de) promise

propos: à — by the way

proposer propose, suggest

propre (*before noun*) own; (*after noun*) clean

protéger protect

province *f.* province(s), country

provoquer cause, inspire

psychologue *m.* psychologist

puis then

puis-je? *see* **pouvoir**

puisque since

puissance *f.* power

puissant powerful

punir punish

Q

quai *m.* embankment (*of the Seine*)

quand when

quant à as for

quartier *m.* quarter, section

que *conj.* that, than; *rel. pron.* whom, which, that; *interr.* what? *interj.* how many! how! **ne ... —** only

quel, –le what, which

quelque some; *pl.* a few, some, several

quelquefois sometimes

quelqu'un someone; **quelques-uns** some

queue *f.* tail; waiting line; **faire la —** stand *or* wait in line

qui *rel. pron.* who, which, that; *interr.* who? whom? **— que** whoever

quinzaine *f.* fortnight

quinze fifteen; **— jours** a fortnight

quitter leave

quoi what; **— que** whatever

quoique although

quotidien, –ne daily; *m.* daily paper

R

raconter tell

rafraîchissements *m. pl.* refreshments

raison *f.* reason; **avoir —** be right

ralentir slow up

rampe *f.* incline

rang *m.* row

rappeler recall; **— à grands traits** sketch; **se —** recall, remember

rapport *m.* relation, connection, report
ravi delighted
ravir delight, enrapture
ravissant bewitching, lovely
réaliser make come true, realize, carry out
recevoir receive
récit *m.* story
récompense *f.* reward
reconnaissant grateful
reconnaître recognize
recouvrir cover over
redouter dread
réfléchir reflect, meditate
refléter reflect
refuser (de) refuse
regagner regain, return to, go back to
regard *m.* gaze, look
regarder look (at)
regretter (de) regret
reine *f.* queen
rejoindre join
se réjouir rejoice, be delighted
relique *f.* relic
reliure *f.* binding
remarquer notice
remerciement *m.* thanks
remercier to thank
remettre hold over, give back, postpone; hand over
remplacer replace, take the place of
remplir fill
remporter win, carry off
rencontre *f.* meeting
rencontrer meet
rendez-vous *m.* meeting
rendre make, render; — **les honneurs** do the honors, pay one's respects; **se** — go; yield; **se** — **compte (de)** realize
renommée *f.* fame, renown
renoncer (à) renounce, abandon
renouveler renew
renseignement *m.* (piece of) information; **des** —**s** some information
renseigner inform; **se** — get information

rentrée *f.* return home; — **des classes** reopening of school
rentrer return home
renverser upset, turn over
repas *m.* meal
repenser think again
répondre (à) reply, answer; — **à son attente** come up to one's expectations
reprendre resume, take back
représentation *f.* performance, production
reprise *f.* revival
réserver keep in store, hold back
résoudre resolve, settle
rester stay, remain
retard *m.* delay, lateness, tardiness
retenir detain
retentir resound, ring out
retirer remove; **se** — withdraw, leave
retour *m.* return; **être de** — be back
retourner go back, return; **se** — turn around
retraite *f.* retreat
retrouver find (again)
réunion *f.* meeting
se réunir meet, assemble
réussir (à) succeed (in)
revanche *f.* revenge
rêve *m.* dream
révéler show
revenir come back, return
revêtir (de) take on, be clothed with
rêveur *m.* dreamer
revoir see again; **au** — good-bye
revue *f.* magazine, review
rez-de-chaussée *m.* ground floor, first floor
Richelieu (*1585–1642*) *Cardinal and Prime Minister of France under Louis XIII*
rideau *m.* curtain
ridiculiser make ridiculous
rien *m.* nothing, anything; **ne** . . . — nothing; — **de tel que** nothing like; **cela ne fait** — that makes no difference, it is all the same; — **que** merely

rire (de) laugh (at)
se risquer (à) venture, make bold to
rivière *f.* river; necklace
robe *f.* dress
rocher *m.* rock
roi *m.* king
romand: la Suisse —e French Switzerland
rompre break; **à tout —** very loudly, frantically
rond round
roue *f.* wheel
rouge red
rouler roll, travel, ride
ruban *m.* ribbon
rue *f.* street
ruse *f.* trick, crafty stratagem

S

sain sound (*of body*)
Saint-Esprit *m.* Holy Ghost
Sainte Vierge *f.* Blessed Virgin
salle *f.* hall, large room; **— à manger** dining room, dining hall
salon *m.* parlor, living room
saluer salute
salutation *f.* greeting
samedi *m.* Saturday
sans without; **— que** without
santé *f.* health
sau-f, —ve safe
saut *m.* jump; **faire un — en auto** drive right over
sauter jump
se sauver run along; **je me sauve!** I'm off!
savoir know (how); **que sais-je encore** goodness knows what else; **— gré de** be grateful for; **faire —** let know; **je ne saurais (pas)** . . . I cannot . . .
savoir *m.* knowledge
savoureu-x, —se tasty
scène *f.* stage; scene
sec, sèche dry
sécher une classe cut a class
séduire charm, win
Seine *f.* river flowing through Paris

séjour *m.* stay, sojourn
séjourner stay, sojourn, remain, spend time
sélectionné selected, chosen
semaine *f.* week
semblable similar, like
sembler seem
sensible sensitive, appreciative
sentir feel, smell; **se —** feel
serpenter wind
serré serried
service *m.* service
servir serve; **à quoi sert** for what use is; **— à** be used for, be of use
seuil *m.* threshold
seul single, sole
seulement only
si *conj.* if; *adv.* so
siècle *m.* century
siffler whistle
signaler call attention to, make known, inform
situé situated, placed
société *f.* company
socle *m.* base, pedestal
sœur *f.* sister
soif *f.* thirst; **avoir —** be thirsty
soigneur *m.* second, helper (*in sports*)
soin *m.* care
soir *m.* evening, night
soirée *f.* evening (party); **— de gala** festive occasion
soit (*pres. subj. of* **être**): **— . . . — either . . . or; whether . . . or whether**
sol *m.* earth, ground, soil
soldat *m.* soldier
soleil *m.* sun
sommeil *m.* sleep; **avoir —** be sleepy
son *m.* sound
songer (à) think about, dream
sonner ring
sonnerie *f.* ringing (*of a bell*)
Sorbonne *f.* seat of the faculties of "Lettres et Sciences" of the University of Paris
sorte *f.* sort, way; **de — que** so that
sortir go out

souci *m.* worry
soudain sudden
souffler (*literally*) blow; prompt in
souffrant indisposed, ill
souhait *m.* wish
souhaiter wish
soulever raise, excite
souligné (de) underlined (by)
soumettre submit, present
soupçonner suspect
sourire *m.* smile
sous under
souvenir *m.* memory, souvenir
se souvenir (de) remember
souvent often
spacieu–x, –se spacious
spectacle *m.* show (*theater*)
stade *m.* stadium
subitement suddenly
subvention *f.* subsidy
subventionné subsidized
succès *m.* success; **un — fou** a big hit
succomber succumb
succulent tasty, toothsome
sucre *m.* sugar
sud *m.* south; **sud-ouest** southwest
suffire be sufficient
suffisamment sufficiently
suisse *adj.* Swiss; **Suisse** *f.* Switzerland; **la — romande** French Switzerland
suite *f.*: **tout de —** at once, right away
suivant following
suivre follow
sujet *m.* subject; **au — de** concerning, about
supercherie *f.* deceit, trickery, ruse
supplier beseech
suprême last, final, supreme
sur on
sur-le-champ right away, without delay
surnom *m.* nickname, appellation
surprendre surprise, detect
surtout especially
surveiller watch over, supervise
susceptible (de) likely (to)

sympathie *f.* cordial sentiments, fellow-feeling
sympathique congenial, likable

T

tableau *m.* picture
tâcher (de) try
talon *m.* heel; stub
tandis que while
tant (de) so many, so much; **— que** as long as
taquiner tease
tard *adv.* late
tarder (à) delay (in); **il (me) tarde (de)** (I am) anxious
tel, –le such
téléphone *m.*: **coup de —** telephone call, ring
téléphoner telephone
tellement so, so much
tempête *f.* tempest
temps *m.* time, amount of time; weather; **à —** in time; **de — en —** occasionally
tenir hold; **— à** be anxious to, want very much to; **se —** be neck and neck; **y —** prize something; **être tenu de** be obliged to
terminer end, finish
terrain *m.* field (*for sports or airplanes*)
terrasse *f.* terrace
terre *f.* land
tête *f.* head; **avoir mal à la —** have a headache
thé *m.* tea
tiens! look! well!
tirade *f.* speech
tirer pull, draw; **se — d'affaire (s'en —)** get along
titre *m.* title; **à juste —** rightly so
toc! tap
toit *m.* roof
tombeau *m.* tomb; **à — ouvert** at breakneck speed, risking death
tomber fall, drop
tort *m.* wrong; **avoir —** be wrong
tôt soon

toujours always; **ami de** — friend of many years' standing
tour *m.* turn, trip, stroll; trick; **faire un** — take a stroll (walk)
tour *f.* tower
tout, -e (**tous, toutes**) *adj.* all, whole, every; **tous les jours** every day; **tout** *adv.* all, quite, very, typically, most; — **à fait** quite, completely; — **de suite** right away; — **à coup** suddenly; — **d'un coup** all at once; **à** — **prendre** everything considered
traduire translate
trahir betray, give away, reveal
train *m.* train; **en** — **de** in the very act of, busy; — **transatlantique** boat train
trait *m.* feature, characteristic; **rappeler à grands** —**s** sketch
trajet *m.* trip, crossing
trancher clash, contrast
transitoire transitional
transmettre convey
travail *m.* work
travailler work, drill, study
travers: à — through, across
traversée *f.* crossing
traverser cross
trépidant vibrating, exciting
très very
trésor *m.* treasure
tribune *f.* stand
tricolore three-colored; **drapeau** — tricolor (*French flag*)
triste sad
se tromper be mistaken
trop (**de**) too, too much
trou *m.* hole; **sortir de son** — get out a bit, change environment
troupe *f.* company of actors, troop of soldiers
trouver find; **se** — be, be located
tuer kill

U

ultime final
uni united
uniquement solely

unir unite, join
usine *f.* factory, works
utile useful

V

vacances *f. pl.* vacation
vaincre conquer, overcome, win out
vainqueur *m.* victor, winner
valoir be worth; yield, afford; — **mieux** be better; **en** — **la peine** be worth while
varié varied, diversified
veiller watch over
vélo *m.* (*fam.*) bike
vélocipède *m.* bicycle
vélocipédique *adj.* bicycle
velour *m.* velvet
vendanges *f. pl.* grape harvest
vendeur *m.* salesman, seller
vendre sell
vendredi *m.* Friday
venir come; — **de** have just; — **à** happen to; **faire** — send for
verdoyant verdant
véritable true, real
vérité *f.* truth
verre *m.* glass
vers toward, about, to
verser pour
vert green
veuillez (*imp. of* **vouloir**) be good enough to
victoire *f.* victory
vie *f.* life
vieillard *m.* old man
vieille *f.* old woman
vieillesse *f.* old age
vieillissant aging, growing old
vieux, vieil, vieille old; **mon vieux** old pal, chum, old man
vif, vive keen, lively, hearty
vilain ugly, bad
ville *f.* city
vin *m.* wine
vite fast, quickly; **le plus** — **possible** as fast as possible
vitrine *f.* shopwindow
vivant *m.* life; **de son** — during his life

vivifiant stimulating
vivre live
vœu *m.* wish, desire; prayer
voici here is (are)
voie *f.* path, way, means
voilà there is (are), here is (are)
voir see; **faire** — show
voisin, –e *m. and f.* neighbor
voiture *f.* car
voiturette *f.* small vehicle
voix *f.* voice; **à haute** — aloud
voler fly
volontiers gladly
vouloir want; — **bien** be good enough to, be willing to; **en** — **à** be annoyed, bear a grudge, hold it against; — **dire** mean; **veuillez** be good enough to
voyage *m.* trip; **faire un** — take a trip
vrai true
vraiment truly
vue *f.* view

Y

y there, here, in it, to it, on it
yeux *m. pl.* eyes

VOCABULARY

English-French

A

able: be — pouvoir
about environ, à peu près; sur, au sujet de; — **to** sur le point de; **talk** — parler de; **what is it all** —? de quoi s'agit-il?
absent absent
absolutely absolument
academy académie *f.*
accent accent *m.*
accept accepter; — **eagerly** s'empresser d'accepter; **be accepted** être reçu
accompany accompagner
acquaintance connaissance *f.*
acquainted: be (become) — **with** connaître; **be well** — **with** connaître comme sa poche
acquire acquérir
act: (be) in the — **of** (être) en train de
act agir
active acti-f, -ve
actor acteur *m.*
admire admirer
admit: be admitted être reçu
advantage avantage *m.*; **take** — **of** profiter de
advantageous profitable

advice conseils *m. pl.*; **take (follow) the** — **of** suivre les conseils de
advise informer
afraid: be — avoir peur
Africa Afrique *f.*; **North** — Afrique du Nord
afternoon après-midi *m. and f.*
age âge *m.*
ago il y a (+ *time word*); **a week** — il y a huit jours
agreeably: be — **surprised** en dire des nouvelles
airplane avion *m.*
Algeria Algérie *f.*
all *adj.* tout, toute (tous, toutes); — **right** c'est entendu; — **the more because** d'autant plus... que
allow permettre (de)
almost presque; — (+ *p. p.*) manquer de (+ *inf.*), faillir (+ *inf.*), — ... peu s'en faut que ...
alone seul
along: get — se tirer d'affaire, s'en tirer, se débrouiller
already déjà
also aussi
although quoique, bien que
always toujours
America Amérique *f.*

212

American *adj.* américain, –e
announce annoncer
annoyed (at): be — en vouloir (à)
anxious: be — **to** tenir à + *inf.*
anything (*after neg.*) ne . . . rien;
— **at all** quoi que ce soit, n'importe
quoi
appear avoir l'air, sembler, paraître
applaud applaudir
applause applaudissements *m. pl.*
appreciate apprécier, goûter
appreciation goût *m.*
approach s'approcher de
Arabia Arabie *f.*; **Saudi** — Arabie
Séoudite *or* Arabie Saoudite
architectural d'architecture
arm bras *m.*
arrange organiser, arranger
arrive arriver
art art *m.*
artisan artisan *m.*
as comme, aussi; puisque, parce que;
— **soon** — aussitôt que, dès que;
— **early** — dès; — **for** quant à
ashamed: be — avoir honte (de)
ask (for) demander
aspect aspect *m.*
atmosphere ambiance *f.*
attend assister à
August août *m.*
Austrian Autrichien, –ne *n. m. and
f.*; d'Autriche *adj.*
automobile automobile *f.*
avail oneself of profiter de
awake se réveiller
away: right — tout de suite, sur-le-
champ

B

bad mauvais, –e; **it is too** — c'est
dommage
Bastille Bastille *f.*
battle bataille *f.*
be être; (*weather*) faire; — **able**
pouvoir; — **about** (*treat*) traiter
de; — **anxious to** tenir à; —
ashamed avoir honte (de); —
away s'absenter; — **better** valoir
mieux; — **willing** (**good enough**)

vouloir bien, être assez aimable
pour; — **sorry** regretter; —
worth while en valoir la peine
beat battre
beautiful beau (bel) *m.*, belle *f.*;
the — le beau
beauty beauté *f.*
because parce que
become devenir; se faire; — **more
numerous** se multiplier; — **acquainted with** connaître
bed: go to — se coucher
before (*time*) avant (de), avant que
beg someone's pardon demander
pardon à . . .
begin se mettre à, commencer (à)
believe croire
beside à côté de
besides d'ailleurs
best le (la) meilleur(–e); **do one's**
— faire de son mieux, faire son
possible
better mieux; **it is** — il vaut mieux
between entre
bicycle bicyclette *f.*
bit peu (de)
blue bleu
booing chahut *m.*
book livre *m.*
born: be — naître
both tous (les) deux
box boîte *f.*
brave brave
breakfast le petit déjeuner
breeze brise *f.*
bring apporter: — **to a conclusion**
conclure
bury enterrer
business affaire *f.*
busy: be — être en train de
but mais
buy acheter; — (*a seat*) prendre
by par, en (+ *pres. part.*); — **the
way!** j'y pense!

C

cabbage chou *m.*
cake gâteau *m.*

call appeler; — **to the attention** signaler à l'attention

camel chameau *m.*

can (*be able*) pouvoir; **I can't eat any more** je n'en peux plus

candy bonbons *m. pl.*

capable à même de

capital capitale *f.*

car voiture *f.*

care soin *m.*

care: I don't — ça ne me fait rien, ça m'est égal; — **for** vouloir

career carrière *f.*

carry out réaliser

castle château *m.*

cause causer, faire

celebration fête *f.*

center foyer *m.*

century siècle *m.*

ceremony cérémonie *f.*

champagne (*wine*) champagne *m.*

championship championnat *m.*

change changer; — **one's dress** changer de robe

chapter chapitre *m.*

charming charmant

check chèque *m.*

cheerful gai

cherished chéri

child enfant *m. and f.*

Christmas Noël *m.*

city ville *f.*

civilization civilisation *f.*

class classe *f.*

close près; — **by** à deux pas (de)

cold *adj.* froid, -e; *n.* froid *m.*; **it is** — il fait froid; **be** — avoir froid

collection collection *f.*

colossal immense

comb one's hair se coiffer

come venir; — **in** entrer; — **to think of it!** j'y pense! — **under the spell** se laisser vaincre par le charme; — **in contact** entrer en contact; —**and help** venir en aide à

comfortably bien, confortablement

coming *adj.* futur, prochain

common commun

communicate faire part (de)

companion: traveling — compagnon (*m.*) de voyage

company (*theatrical*) troupe *f.*; **may we have the pleasure of your** —? serez-vous des nôtres?

compete concourir

competition concours *m.*; — **held by** concours de

complain se plaindre

completely tout à fait

conceive former le projet

concern s'agir de

conclude conclure

confess avouer

congenial sympathique

conquer vaincre, conquérir

consent consentir (à)

consequently par conséquent

conservatory conservatoire *m.*

considered: everything — à tout prendre

contact: come in — entrer en contact

contain contenir

contents contenu *m.*

continue continuer (à)

convent couvent *m.*

cooking cuisine *f.*

cordially chaleureusement; **be received** — trouver un accueil chaleureux

correct corriger

cost: at all —s à tout prix

cost coûter

could pouvoir

counterfeit fau-x, -sse

country (*nation or region*) pays *m.*; (*as opposed to the city*) campagne *f.*; — **house** maison (*f.*) de campagne

courage courage *m.*

course (*of study*) cours *m.*; **in the** — **of** au cours de; **of** — bien entendu

cream crème *f.*; **ice** — des glaces *f.*

criticism critique *f.*

cross traverser, faire la traversée

crossing traversée *f.*

crowd foule *f.*

cruel cruel, -le

cultural culturel, --le
culture culture *f.*
cup tasse *f.*
curio curiosité *f.*
curtain rideau *m.*
custom coutume *f.*
cut (*a class*) sécher
cyclist cycliste *m.*

D

dance danser
day jour *m.*; (*in extent*) journée *f.*;
  in his — de son vivant
deal affaire *f.*
dear cher (*m.*), chère (*f.*)
death la mort
decide décider (de), prendre le parti
  (de)
decidedly: be — worth while en
  valoir bien la peine
deck pont *m.*
delay tarder (à); without — sans
  tarder
delicious délicieu-x, -se
delighted (at, with) enchanté (de)
delightful charmant, délicieu-x, -se
democracy démocratie *f.*
dentist dentiste *m.*
departure départ *m.*
desire désir *m.*
despair désespoir *m.*; drive to —
  faire (son) désespoir
destroy détruire
diction diction *f.*
die mourir
difference: that makes no — cela
  ne fait rien
different: many — multiple
difficulty peine *f.*; have — (in)
  avoir de la peine (à)
dine dîner
dinner dîner *m.*
discover découvrir
discuss parler de
displeased mécontent
distinguished distingué
diversion distraction *f.*
do faire; — one's best faire de son

mieux, faire son possible (pour);
  well done bien fait
doctor médecin *m.*, doctor *m.*
domain domaine *m.*
down there là-bas
dozen douzaine *f.*
dream rêve *m.*
dress robe *f.*
dress (get dressed) s'habiller
drink boire
drive conduire; — away chasser;
  — to despair faire (son) désespoir
drop laisser tomber
drown se noyer
dry sec (*m.*), sèche (*f.*)
during pendant; — his life de son
  vivant

E

each *adj.* chaque; — one *pron.*
  chacun, -e; — other se
ear oreille *f.*; be all —s être tout
  oreilles
early de bonne heure; as — as dès
earth terre *f.*
eat manger; I can't — any more
  je n'en peux plus
egg œuf *m.*
either (*after neg.*) non plus
electric électrique
element: out of one's — dépaysé
emperor empereur *m.*
end bout *m.*
enemy ennemi *m.*
engage in some sports faire du sport
England Angleterre *f.*
enjoy jouir (de)
enough assez (de)
enriching enrichissant
enter entrer (dans)
equality égalité *f.*
era ère *f.*
especially surtout
esteem estime *f.*
Europe Europe *f.*
even *adv.* même
evening soir *m.*; (*in extent*) soirée *f.*
event événement *m.*; sporting —
  course *f.*

every tout, toute (tous, toutes)
everyone tout le monde
everything tout *m.*; — **considered** à tout prendre
everywhere partout
examination examen *m.*
exchange échanger
excited agité
exciting palpitant
exclaim s'écrier
excuse excuser
exile exil *m.*
expect attendre, s'attendre à; (*intend*) compter
expensive cher (*m.*), chère (*f.*)
experience expérience *f.*
experience éprouver
expert: be an — s'y connaître
express exprimer
extended étendu
extremely extrêmement
eye œil *m.* (yeux *m. pl.*)

F

faculty faculté *f.*
fail manquer (de); — (*an examination*) échouer
faith foi *f.*
fall tomber; — **in love with** tomber amoureux de
family famille *f.*
famous fameu–x, –se
fast *adj.* rapide; *adv.* vite
father père *m.*
fatherland patrie *f.*
fault défaut *m.*
favorite favori, –te, préféré
fear craindre (de), avoir peur de; **for — that** de crainte que
feel sentir; — **like** avoir envie (de)
few: a — quelques
fight se battre
file: in single — à la file indienne
finally enfin
find trouver
first *adj.* premi–er, –ère; — **floor** rez-de-chaussée *m.*; *adv.* d'abord
fitting: be — convenir
flat plat

flee fuir
floor étage *m.*; **first —** rez-de-chaussée *m.*
fly (*time*) fuir
follow suivre
food cuisine *f.*
foot pied *m.*; — **race** course (*f.*) à pied
football football *m.*
for *prep.* pour, pendant; *conj.* car, que; **run —** courir après
force force *f.*
foreign étrang–er, –ère
forget oublier (de)
former *adj.* ancien, –ne; *pron.* celui-là *m.*, celle-là *f.* (ceux-là *m. pl.*, celles-là *f. pl.*)
fortnight quinzaine *f.*
fortunate heureu–x, –se, fortuné; **be — enough to** avoir la chance de, avoir le bonheur de
fortune fortune *f.*; **good —** bonheur *m.* (de)
found fonder
franc franc *m.* (*French unit of money*)
Frank François
frantically à tout rompre
fraternity fraternité *f.*
free libre
French *adj.* français, –e; — (*language*) français *m.*
Frenchman Français *m.*
frequent fréquenter
fresh frais (*m.*), fraîche (*f.*)
Friday vendredi *m.*
friend ami, –e *m. and f.*
from de
front neighbor voisin (*m.*) de devant
furnish fournir

G

gallery (*art*) musée *m.*
game match *m.*
garden jardin *m.*
generally en général
genius génie *m.*
gentleman monsieur *m.*
get chercher, aller chercher; — **rid of**

se débarrasser de; — **along** se tirer d'affaire, s'en tirer, se débrouiller; **I** — **it** j'y suis; — **there** y arriver; — **a seat** prendre (louer) une place; — **used to** s'habituer à; — **dressed** s'habiller; — **up** se lever; — **to** aller (à); *see* **idea**

girl: the little — la petite fille

give donner

glad content; **be** — **to** se faire un plaisir de

glorious glorieu-x, -se

glory gloire *f.*

go aller; — **on** se passer; — **out** sortir; — **down** descendre; — **upstairs** monter; — **to bed** se coucher; — **to sleep** s'endormir

God Dieu; — **grant** plaise à Dieu

gold or *m.*; — **sword** épée (*f.*) d'or

good bon, -ne; **be** — **enough to** vouloir bien, être assez aimable pour; **have a** — **time** s'amuser; — **morning** bonjour *m.*

gown robe *f.*

grant: God — plaise à Dieu

grateful reconnaissant; **be** — savoir gré (de)

great grand

greatly fortement

greet accueillir

greetings salutations *f. pl.*

group groupe *m.*

Greek *adj.* grec, -que

grey gris, -e

ground terre *f.*; **to the** — par terre

grow croître

guest client *m.*

H

habit habitude *f.*; **be in the** — **of** avoir l'habitude de

hair cheveux *m. pl.*; **comb one's** — se coiffer

half hour demi-heure *f.*

hand main *f.*

handsome beau (bel) *m.*, belle *f.*

happen arriver; — **to** venir à

happy heureu-x, -se

hard *adv.*: **work** — travailler sérieusement

hate haïr

have avoir; (*causative*) faire (+ *inf.*); — **to** devoir; — **a good time** s'amuser (à); — (*some food*) prendre; **may we** — **the pleasure of your company?** serez-vous des nôtres? — **tea** prendre le thé; — **just** venir de

head tête *f.*

headache: have a — avoir mal à la tête

headwaiter maître d'hôtel *m.*

hear entendre; — **tell of** entendre dire; — **of,** — **spoken** entendre parler (de)

heart cœur *m.*; **have one's** — **set on** avoir à cœur de

heat chaleur *f.*

help aider (à); **come and** — venir en aide à

hero héros *m.*

hide cacher

historical historique

hit: make a — avoir un succès fou

home la maison; **at** — à la maison, chez (moi)

homework devoir *m.*

honest brave, honnête

honor honneur *m.*

honorable mention mention honorable *f.*

hope espérer

horse cheval *m.*

hot chaud

hotel hôtel *m.*

hour heure *f.*; **at what** — à quelle heure

house maison *f.*, salle *f.* (*theater*); **country** — maison de campagne

house *v.* abriter

how comment; — **is** comment va; — **many** combien (de); —**!** que!

hundred cent *m.*

hunger faim *f.*

hungry: be — avoir faim

hurry: in a — pressé; **there is no** — rien ne presse

I

ice cream des glaces *f. pl.*
idea idée *f.*; **conceive the —** former le projet; **the very —!** pensez donc! **get an — of** se faire une idée de
if si
ignorance ignorance *f.*
impolite impoli
impress impressionner
impressive impressionnant
improve améliorer; **— oneself** s'instruire
improvement: have room for — laisser à désirer
in dans, en, à
inauguration inauguration *f.*
inconvenience déranger
increase croître, accroître
indescribable indescriptible
indisputably sans contredit
inform mettre au courant (de)
information renseignements *m. pl.*
instead (of) au lieu de
instruction instruction *f.*
intend avoir l'intention (de); **without —ing** to sans vouloir
interest intérêt *m.*
interesting intéressant
international international
introduce présenter
invitation invitation *f.*
invite inviter (à)
Iran Iran *m.*
iron fer *m.*
is: — to doit; **how — ...?** comment va ...?
Italy Italie *f.*

J

jewel bijou *m.*
join rejoindre, se joindre à
jostling bousculade *f.*
judge: be a — of s'y connaître, se connaître en
July juillet *m.*
just: have — venir de; **be — what** one wants faire son affaire; **— a little more** encore un peu; **— the same** tout de même, **— now** tout à l'heure

K

keep tenir; **— informed** tenir au courant (de)
kill tuer
kindly veuillez (+ *inf.*)
king roi *m.*
kitchen cuisine *f.*
knock coup *m.*
know savoir (*thing*); (*be acquainted with*) connaître
knowledge connaissance *f.*
known connu

L

lack manquer
lack: for — of faute de
lady dame *f.*; **young —** demoiselle *f.*
language langue *f.*
lap étape *f.*
large grand
last derni–er, –ère; **— night** hier soir
late *adv.* tard; **be —** être en retard
Latin *adj.* latin, –e
latter celui-ci *m.*, celle-ci *f.* (ceux-ci *m. pl.*, celles-ci *f. pl.*)
laugh (at) rire (de)
learn apprendre; **— how to** apprendre à (+ *inf.*)
leave quitter (+ *direct object*), partir, s'en aller; **to — something to be desired** laisser à désirer; **take —** prendre congé
legion légion *f.*
lend prêter
less moins
let laisser; **— in** faire entrer; **— know** faire savoir
letter lettre *f.*; **love —** billet doux *m.*
liberty liberté *f.*; **take the —** se permettre (de)
life vie *f.*; **in my —** de ma vie

lifetime: **during his** — de son vivant

light lumière *f.*; — **of day** jour *m.*

like comme, en; **feel** — avoir envie de; **look** — avoir l'air de

like aimer

line: stand in — faire la queue

listen (to) écouter

little *adj.* petit; **a** — **while ago** tout à l'heure; *adv.* peu (de)

live vivre; **long** —! vive!

lobby hall *m.*

London Londres

long long, -ue; **a** — **time** longtemps

look: — **at** regarder; — **for** chercher; **just** —! regardez donc! — **like** avoir l'air de

lot beaucoup (de)

love amour *m.*; — **letter** billet doux *m.*; **fall in** — **with** tomber amoureux de

love aimer

loving épris

lucky star bonne étoile *f.*

M

maid bonne *f.*, domestique *f.*

mailbox boîte aux lettres *f.*

mailman facteur *m.*

major commandant *m.*

make faire; — **yourself at home** faites comme chez vous; **that makes no difference** cela ne fait rien; — **a hit** avoir un succès fou

man homme *m.*

manager gérant *m.*

many beaucoup (de), bien des; **so** — tant de; — **different** multiple

match match *m.*, partie *f.*

matter: what's the —? qu'y a-t-il? **what's the** — **with her?** qu'a-t-elle? **in the** — **of** en fait de

may: — **I?** puis-je? **it** — **be** il se peut

mean vouloir dire

means moyen *m.*; **by** — **of** à la faveur de

meditate se recueillir

meet se réunir, rencontrer; faire la connaissance de

meeting réunion *f.*

member: be a — **of** faire partie de

memorable inoubliable, mémorable

mentality mentalité *f.*

mention: honorable — mention honorable *f.*

merely simplement, ne faire que (+ *inf.*)

mind: have a project in — former le projet

mingle (with) se mêler (à)

mirror glace *f.*

miss manquer

misunderstanding malentendu *m.*

money argent *m.*

more plus; davantage; **no** — ne ... plus; **all the** — ... **because** d'autant plus ... que; **just a little** — encore un peu

morning matin *m.*; **good** — bonjour *m.*

Morocco Maroc *m.*

mother mère *f.*

mountain montagne *f.*

movement mouvement *m.*

movies cinéma *m.*

much beaucoup; **as** — **as** autant que; **very** — beaucoup; **too** — trop (de); **so** — tant (de)

music musique *f.*

must devoir, falloir; **one** — il faut que

N

name: be named s'appeler; **it is named** on l'appelle

naturally bien entendu, naturellement

near près de, à deux pas

necessary: be — falloir

need avoir besoin (de)

neighbor voisin, -e *m. and f.*

neither ... nor ne ... ni ... ni

nephew neveu *m.*

never ne ... jamais; — **to be forgotten** mémorable, inoubliable

new nouveau (nouvel) *m.*, nouvelle *f.*

news nouvelles *f. pl.*
next *adj.* prochain; *adv.* ensuite
night nuit *f.*; **last —** hier soir
nobody personne *m.*, ne . . . personne
nor: neither . . . — ne . . . ni . . . ni
northern du nord
nose nez *m.*
not ne . . . pas; **— only** non seulement
nothing rien, ne . . . rien; **is — to me** ne me fait rien
novel roman *m.*
now maintenant; **—!** tiens!
number nombre *m.*

O

objective but *m.*
obliged obligé; **be —** être tenu (de)
obtain obtenir
odd singuli–er, –ère
off: I must be —! je me sauve!
offer offrir (de)
often souvent; *see* **visit**
old vieux (vieil) *m.*, vieille *f.*; **be . . . years old** avoir . . . ans
once une fois; **at —** tout de suite, sur-le-champ, d'emblée
one *pron.* on
only *adj.* seul; *adv.* ne . . . que, seulement
open ouvrir
opinion opinion *f.*
opportunity occasion *f.*
or ou
orchestra orchestre *m.*
order ordre *m.*; **in — to** pour; **in — that** pour que
order (*at a café*) commander
other *adj.* autre; **each —** se
over *adj.* fini
overcoat pardessus *m.*
owe devoir
own propre (*precedes noun*)

P

pamphlet brochure *f.*, pamphlet *m.*
paper journal *m.*

pardon pardon *m.*
Parisian parisien, –ne; de Paris
part part *f.*; rôle *m.*; **for his —** de son côté
pass passer; **— up** manquer
past passé *m.*
pay a visit rendre visite
peace paix *f.*
peach pêche *f.*
pencil crayon *m.*
people gens *m. and f. pl.*
perfect perfectionner
perhaps peut-être
phone téléphoner
phonetics phonétique *f.*
piano piano *m.*
piece (**of money**) pièce *f.*
pity plaindre
place lieu *m.*, endroit *m.*; **take —** avoir lieu
plan former le projet
play (*drama*) pièce *f.*
play jouer, exécuter; **— some music** faire de la musique
please plaire, faire plaisir à, veuillez (+ *inf.*), je vous prie, s'il vous plaît
pleased content (de); heureu–x, –se (de); **be — to** avoir plaisir à
pleasure plaisir *m.*
pocket poche *f.*
poetry vers *m. pl.*
pool piscine *f.*
popular populaire
prefer préférer, aimer mieux
première première *f.*
prepare préparer
present: at the — time actuellement
present *v.* soumettre, présenter
president président *m.*
price prix *m.*
prison prison *f.*
prize prix *m.*
program programme *m.*
project projet *m.*
prompt (**in**) souffler
pronunciation prononciation *f.*
prospect perspective *f.*
provide fournir

provided pourvu que
public *adj.* publi–c, –que
purpose but *m.*; **what — does it serve?** à quoi cela sert-il?
put (on) mettre; **— in touch** mettre au courant (de); **— (up at)** descendre (à)

Q

quarter (*section*) quartier *m.*
queen reine *f.*
question question *f.*
quickly vite
quite tout à fait

R

race course *f.*; **foot —** course à pied
racer coureur *m.*
rain pleuvoir
raising lever *m.*
rather plutôt
reach arriver à, atteindre; **is not able to — him** on ne répond pas
read lire
ready prêt (à)
real vrai
realize réaliser, se rendre compte
really vraiment
reason raison *f.*
recall se rappeler
receive recevoir; **be received cordially** trouver un accueil chaleureux
recognize reconnaître
record record *m.*; **track meet —** record de course à pied
red rouge
register se faire inscrire
regret regretter (de)
regularly régulièrement
religious religieu–x, –se
remain rester
remember se rappeler, se souvenir de
repertory répertoire *m.*
reply répondre (à)
republic république *f.*
request prière *f.*
reread relire

reserved retenu
resolve résoudre
return (*come back*) revenir; (*go back*) retourner; (*return home*) rentrer
revival reprise *f.*
rid: get — of se débarrasser de
right droit *m.*; **be —** avoir raison; **— away** tout de suite, sur-le-champ; **all —** c'est entendu
rightly à juste titre
ring sonner
rise croître
rival *adj.* rival
river (*large*) fleuve *m.*; (*small*) rivière *f.*
roll (*bread*) petit pain *m.*
room chambre *f.*; **leave — for improvement** laisser à désirer
run courir

S

same: just the — tout de même
Saturday samedi *m.*
Saudi Arabia Arabie Séoudite *f.*, Arabie Saoudite *f.*
say dire
scarcely à peine, ne . . . guère
school école *f.*
science science *f.*
season saison *f.*
seat place *f.*; **take one's —** s'asseoir
seated: do be — asseyez-vous donc
second second; **— floor** premier étage
secure a seat prendre une place
see voir
seem sembler, paraître
send envoyer; **— for** envoyer chercher, faire venir
sensitive sensible (à)
separate se séparer
sequence suite *f.*, succession *f.*
serve servir; **what purpose does it —?** à quoi cela sert-il?
service service *m.*
set: have one's heart — on avoir à cœur de

several plusieurs
shame honte *f.*
ship bateau *m.*; (*ocean liner*) transatlantique *m.*
shopkeeper commerçant *m*
shortly tout à l'heure
shoulder épaule *f.*
show montrer, faire voir
shrine lieu de pèlerinage *m.*
sick malade, souffrant
side côté *m.*; **on the other —** de l'autre côté
siege siège *m.*
sight spectacle *m.*, scène *f.*, coup d'œil *m.*; **see the —s** voir les monuments
silence silence *m.*
since (*cause*) puisque, car; (*time*) depuis
single: in — file à la file indienne
sit (**down**) s'asseoir; **— down at** (*table*) se mettre à
sky ciel *m.*
sleep dormir; **go to —** s'endormir
slowly lentement
so *adv.* si, tellement; **— much, — many** tant (de); **— to speak** pour ainsi dire
soldier soldat *m.*
solve résoudre
some quelque; *pron.* quelques-uns, en
some one quelqu'un
something quelque chose *m.*
sometimes quelquefois
son fils *m.*
song chanson *f.*
soon bientôt; **as — as** aussitôt que, dès que
sorry désolé; **be —** regretter
soul âme *f.*
South sud *m.*; **— of France** Midi *m.*
Spain Espagne *f.*
speak parler
spell charme *m.*; **come under the —** se laisser vaincre par le charme
spend (*time*) passer
spirit esprit *m.*
spite: in — of malgré

spoil gâter; **be spoiled** se gâter
spring printemps *m.*
stadium stade *m.*
stand tribune *f.*
stand se tenir debout; **— in line** faire la queue
star étoile *f.*; **lucky —** bonne étoile *f.*
state état *m.*; **— prison** prison (*f.*) d'État
station gare *f.*
statue statue *f.*
stay séjour *m.*
stay rester, séjourner
step pas *m.*
still encore, toujours
strange drôle de
street rue *f.*
stroll tour *m.*; **go for a (take a) —** faire un tour, faire une promenade, se promener
student étudiant *m.*
studious studieu-x, --se
study étudier, travailler
stupid bête
submit soumettre
subway métro *m.*
succeed (**in**) réussir à, arriver à
such tel, –le; **— a** un tel, une telle
suddenly tout à coup
sufficiently suffisamment
suggest suggérer
summer été *m.*
sure sûr
surmise se douter (de)
surprise surprendre
surprised surpris; **be agreeably —** en dire des nouvelles
suspect se douter (de)
sweet dou-x, –ce
sweetheart chéri, --e *m. and f.*
swell croître
swim nager
Switzerland Suisse *f.*
sword épée *f.*

T

table table *f.*
take prendre, conduire, mener; **—**

advantage of profiter de; — **the liberty of** se permettre de; — **the advice of** suivre les conseils de; — **place** avoir lieu; — **out** (*a pencil*) sortir; — **back** reprendre; — **leave** prendre congé; — (*a course*) suivre; — **one's seat** s'asseoir; — **a trip** faire un voyage; — **a stroll** faire un tour (une promenade), se promener

taking prise *f.*

talent talent *m.*

tall grand

taste goûter

taxi taxi *m.*, voiture (*f.*) de place

tea thé *m.*

teacher professeur *m.*

teaching enseignement *m.*

team équipe *f.*

telephone téléphoner

tell dire; **I told you so** je vous l'ai bien dit

tennis tennis *m.*

than que

thanks (to) grâce (à)

that *dem. pron.* ce, cela, ça, *rel. pron.* qui, que; *conj.* que

theater théâtre *m.*

there là, y; — **is (are)** il y a; **down** — là-bas

therefore donc

they (*indef.*) on

thing chose *f.*

think penser; **come to** — **of it!** j'y pense!

thirst soif *f.*

thirsty: be — avoir soif

thought pensée *f.*

thousand mille *m.*

thus ainsi

ticket billet *m.*, place *f.*; — **agency** Agence (*f.*) de Théâtres

time temps *m.*; **from** — **to** — de temps en temps; **on** — à l'heure; **have a good** — s'amuser; **a long** — longtemps; **at the present** — actuellement; fois *f.*, **times** (*multiplied*) fois

tip pourboire *m.*

tired fatigué

today aujourd'hui

together ensemble

tomb tombeau *m.*

tomorrow demain

tonight ce soir

too trop (de)

tooth dent *f.*

toothache mal (*m.*) aux dents

touch: put in — **with** mettre au courant de

town ville *f.*

train train *m.*

train se former

transport transporter

travel voyager

traveling companion compagnon (*m.*) de voyage

tray plateau *m.*

treat traiter (de)

trip voyage *m.*; **take a** — faire un voyage

troop troupe *f.*

true vrai

try essayer (de); — **unsuccessfully** avoir beau essayer

twice (as) deux fois (plus)

U

ugliness laideur *f.*

uncle oncle *m.*

under *prep.* sous

understand comprendre

unfortunately par malheur, malheureusement

United States États-Unis *m. pl.*

universal universel, –le

university université *f.*

unless à moins que

unsuccessfully avoir beau (+ *inf.*)

until que, jusqu'à ce que

unusual: be — sortir de l'ordinaire

upon my word! ma foi!

upstairs: go — monter

urge encourager, conseiller

use: what is the — **of** à quoi bon

used: get — **to** s'habituer à

usher ouvreuse *f.*

V

varied varié
various différent
very très, bien, extrêmement; —
  much beaucoup
victory victoire *f.*
village village *m.*
visit visite *f.*
visit visiter; (*a person*) rendre visite
  (à); — **often** fréquenter
voice voix *f.*

W

wait attendre
waiter garçon *m.*
walk marcher, se promener
want vouloir; **just what one wants**
  faire son affaire
warmly chaleureusement
wash laver
watch montre *f.*
water eau *f.*
way moyen *m.*, façon *f.*; **this —**
  par ici; **that —** par là; **on the —**
  chemin faisant; **by the —!** j'y
  pense!
weather temps *m.*; **the — is beautiful** il fait beau (temps)
week semaine *f.*, huit jours; **two —s**
  quinze jours
week end week-end *m.*
welcome accueil *m.*; **—!** soyez
  le (la) bienvenu(e)!
well *adv.* bien
what *adj.* quel, -le; *rel. pron.* ce qui,
  ce que; *interr. pron.* que? qu'est-ce
  que? qu'est-ce qui?
whatever quoi que
when quand, lorsque
whenever quand
where où
whether si; **— it be ... or** soit ...
  soit
which *adj.* quel, -le; *pron.* qui, que,
  lequel, laquelle

while pendant que; **a little — ago**
  tout à l'heure; **be worth —** en
  valoir la peine
who *rel. pron.* qui; *interrog. pron.*
  qui? qui est-ce qui?
whoever qui que
whole tout, -e
whom qui, qui est-ce que, que
why pourquoi
wife: his — sa femme
willing: be — vouloir bien
win gagner, acquérir
wind serpenter
wine vin *m.*
winner vainqueur *m.*
winter hiver *m.*
wisdom sagesse *f.*
wish vœu *m.*
with avec
withdraw se retirer
without sans
woman (*in general*) la femme;
  women (*in general*) les femmes
wonder merveille *f.*
wonder se demander
wonderful magnifique, merveilleu-x,
  –se
word mot *m.*; **my —!** ma foi!
work travail *m.*, œuvre *f.*
work travailler
workman ouvrier *m.*
world monde *m.*; **World War I**
  Première Guerre Mondiale
worth: be — while en valoir la
  peine
write écrire
wrong: be — avoir tort

Y

year an *m.*; (*in extent*) année *f.*
yes oui
yesterday hier
yield se rendre (à)
young jeune; **— lady** demoiselle *f.*

INDEX

The numbers refer to pages.

à, verbs requiring **à** before an infinitive, 7; with geographical names, 132

acquérir, conjugation, 165

adjectives, agremeent, 74, 75; position, 75, 76; irregular, 76, 77; demonstrative, 77, 78; possessive, 78, 79; indefinite, 87, 88; comparison, 109, 110; superlative, 110; interrogative, 119; plural, 165

adverbs, comparison, 109, 110; superlative, 110; of quantity, 152

aller, conjugation, 39

anticipation, subjunctive in clauses of, 64

après + perfect infinitive, 7

articles, see definite and indefinite articles

asseoir, conjugation, 143

aucun, 88; with **ne,** 100

aussitôt que, requires future, 9

auxiliary verbs, conjugations, 181, 182

avec, omission of article after, 153

avoir, outline conjugation, 10; complete conjugation, 181, 182; used as an auxiliary in compound tense, 17; special group with, 39

battre, conjugation, 111

bel, 77

bien (*much, many*) + article, 152

boire, conjugation, 100

cardinal numbers, 186

ce, demonstrative adjective, 77, 78; pronoun with **être,** 162–164

ce que, relative, 86

ce qui, relative, 86

ceci, 161

cela, 161

celle, 161, 162

celui, 161, 162

cent, 186

chacun, 87

chaque, 87

cities, preposition with names of, 132

comparison of adjectives and adverbs, 109, 110

concession, subjunctive after conjunctions of, 64, 65

conclure, conjugation, 165

conditional, see present conditional and perfect conditional

conditions, summary of, 38; future in conclusion of supposition introduced by **si,** 9

conduire, conjugation, 122

conjugations, regular, 179–180, 182

conjunctive personal pronouns, 97, 98

connaître, conjugation, 100

countries, preposition with names of, 132, 133
courir, conjugation, 110
craindre, conjugation, 133
croire, conjugation, 39
cueillir, conjugation, 133

dates, 187
days of the week, 153
de, verbs requiring **de** before infinitive, 7; contractions with definite article, 130; in the partitive construction, 151–153; after indefinite pronouns, 88
definite article, 130; uses, 130–132; contraction with **de,** 130; in partitive construction, 151; omitted, 141, 142, 151–153
demonstrative adjectives, 77, 78
demonstrative pronouns, 161, 162
dependent clause in place of infinitive, 49
depuis with present indicative, 27; with imperfect indicative, 37
dès que, requires future, 9
devoir, conjugation, 53; contrasted with **falloir,** 53; uses, 53; tense meanings, 53
dire, conjugation, 39
disjunctive pronouns, see stressed personal pronouns
dont, relative pronoun, 87
dormir, conjugation, 67

en, pronoun, 98; with geographical names, 132, 133; with names of languages, 131; with names of seasons, 132
envoyer, conjugation, 67
être, outline conjugation, 10; verbs conjugated with **être,** 17, 18; complete conjugation, 181, 182; used as an auxiliary in compound tenses, 17, 18; used as an auxiliary with reflexive verbs, 51

faire, conjugation, 29; + infinitive (causative), 143

falloir, conjugation, 52; contrasted with **devoir,** 53
fuir, conjugation, 133
future, formation of future indicative, 9; use, 9; near future expressed by **aller** + infinitive, 9; probable future expressed by **devoir** + infinitive, 10; future in conclusion of supposition introduced by **si,** 9; future after **quand, lorsque, aussitôt que, dès que,** etc., 9

gender of nouns, 189, 190
gerund, formation, 29; use, 29
guère, with **ne,** 99

haïr, conjugation, 175

il (elle) + **être,** 162, 163, 164
il y a . . . que, with imperfect indicative, 37; with the present indicative, 27
imperative, formation, 8; use, 9
imperfect indicative, formation, 36; use, 36, 37; with **depuis,** 37
imperfect subjunctive, formation, 63; use, 65
indefinite adjectives, 87, 88; indefinite pronouns, 87, 88
indefinite articles, 130; omitted, 141–143
infinitive, use of, 6, 7; verbs which govern the infinitive without a preposition, 7; infinitive after prepositions, 7; infinitive preceded by **de,** 7; preceded by **à,** 7; infinitive to replace **que**-clause, 49
interrogative adjectives, 119
interrogative pronouns, 119–121
interrogative word order, 121, 122
irregular verbs, reference list, 184, 185
islands, prepositions with names of, 132

jamais, with **ne,** 99

lequel, laquelle, relative pronouns, 86; interrogative pronouns, 121
lire, conjugation, 89
lorsque, requires future, 9

measures, 188
mille (mil), 187
money, 188
months, 153
mourir, conjugation, 123

naître, conjugation, 110
ne, used after certain verbs before the subjunctive, 65; with **pas, point,** etc., 99
negation, 99, 100; subjunctive after conjunction of, 65
ni . . . ni, with **ne,** 99; not followed by any article, 153
nouns, gender, 189, 190; plural, 164, 165
nul, with **ne,** 99
numbers, 186, 187

on, 17
ordinals, 187
orthographical peculiarities of the first conjugation, 183
où, relative pronoun, 87
ouvrir, conjugation, 134

par, in expressions of time, 132
parler + name of a language, 131
participles, see past participle and present participle
partitive construction, 151–153
pas, with **ne,** 99; omission with certain verbs, 99, 100
passé composé, see present perfect indicative
passé simple, see past definite
passive voice, 17; replaced by **on,** 17; replaced by reflexive, 51
past definite, formation, 61, 62; use, 62
past indefinite, see present perfect indicative, 17
past participle, formation, 16; use, 16, 17; agreement, 18, 19, 52
penser, 108
perfect conditional, formation, 37, 38; use, 38
personal pronouns, 97, 98
plaire, conjugation, 100
pleuvoir, conjugation, 154
plupart: la pulpart + article, 152

pluperfect indicative, formation, 37; use, 37
pluperfect subjunctive, 66
plural of nouns and adjectives, 164, 165
plus, with **ne,** 99
point, with **ne,** 99; omission with certain verbs, 99
possession, denoted by **à** + stressed pronoun, 174
possessive adjectives, 78, 79
possessive pronouns, 174
pour + infinitive, 7
pouvoir, conjugation, 52
prendre, conjugation, 67
prepositions with names of cities, islands, countries, 132, 133; with seasons, 153, 154
present conditional, formation, 28; use, 28, 29
present indicative, formation, 7, 8; use, 8; with **depuis,** 27; with **voilà . . . que,** 27; with **il y a . . . que,** 27
present participle, formation, 19; use, 19; agreement, 19
present perfect indicative, 17
present perfect subjunctive, 62, 63
present subjunctive, formation, 47–49; use, 49–51
pronouns, demonstrative, 161, 162; stressed (disjunctive) personal, 97, 108, 109; indefinite, 87, 88; interrogative, 119–121; conjunctive personal, 97, 98; possessive, 174; relative, 86, 87
provinces, preposition before names of ancient provinces, 133
purpose, subjunctive after conjunctions of, 64

quand, requires future, 9
que, in comparisons, 109, 110; relative pronoun, 86, 87; interrogative pronoun, 119–121; introducing a dependent clause, 49
quel, interrogative adjective, 119; in exclamations, 142
quelconque, 87

quelque, 87
quelque chose, 88
quelqu'un, 88
qui, relative pronoun, 86, 87; interrogative pronoun, 119–121
quiconque, 88
quoi, relative, 87; interrogative, 119, 120

recevoir, conjugation, 89
reflexive verbs, 51, 52
relative pronouns, 86, 87
résoudre, conjugation, 154
rien, with **ne,** 99
rire, conjugation, 175

sans, omission of article after, 153; requires the infinitive, 7
savoir, conjugation, 20; special meaning, 20
seasons, 153
sequence of tenses in the subjunctive, 65, 66
si, with present, 9, 38; with imperfect, 28, 38
special time relationships idiomatically expressed, 175
stressed personal pronouns, 97; use, 108, 109
subjonctif passé, 62, 63
subjunctive, present, 47–49; present perfect, 62, 63; imperfect, 63; in principal clauses, 66; sequence of tenses, 65, 66; in adverbial clauses, 64; with concessive value, 64; to imply characteristics sought for, 64; after a general negation, 64; after a superlative idea, 63; in adjectival clauses, 63; in dependent clauses, 49–51; used to express

judgment or opinion, 51; to express emotion, 50, 51; to express volition, 50; to express doubt, uncertainty, 49, 50
suffire, conjugation, 144
suivre, conjugation, 123
superlative of adjectives and adverbs, 110

tant que, requires future, 9
tenses, present indicative, 7; future indicative, 9, 10; present perfect indicative, 17, 18; of reflexive verbs, 51; imperfect indicative, 36, 37; present conditional, 28; perfect conditional, 37, 38; pluperfect indicative, 37; present subjunctive, 47–49; past definite, 61, 62; imperfect subjunctive, 63; compound tenses with **avoir,** 182; compound tenses with **être,** 182, 183
time of day, 187, 188
titles, with definite article, 130, 131
tout, 75

vaincre, conjugation, 144
valoir, conjugation, 123
venir, conjugation, 20
vivre, conjugation, 144
voilà . . . que, with present indicative, 27; with imperfect indicative, 37
vouloir, conjugation, 29; imperative, 8

weights, 188
word order, interrogative, 121, 122

y, pronoun, 98